VIAJE A ESPAÑA DEL
REY DON SEBASTIAN DE PORTUGAL

EL REY DON SEBASTIAN DE PORTUGAL

por *Cristóbal de Morales*

VIAJE A ESPAÑA

DEL

REY DON SEBASTIAN
DE PORTUGAL

(1576 - 1577)

por

ANTONIO RODRIGUEZ MOÑINO

VALENCIA
EDITORIAL CASTALIA
1 9 5 6

De esta obra, además de la edición corrien-
te, se han impreso ciento veinticinco ejemplares en papel de hilo superior grueso
numerados del 1 al 100 y I al XXV

O reinado de Dom Sebastião é notavel por um facto único —a perda em Africa— á roda do qual só apparecem mesquinhos enredos de Côrte, traiçoens de conselheiros vendidos, e loucuras de mancebos. A duas naçoens pertence aquelle tremendo facto, que influiu, quasi exclusivamente, na futura sorte de Africa e de Portugal...

Bernardo da Cruz: CHRONICA, *ed. Herculano e Payva, 1837, pág. IV.*

I

LOS HOMBRES

NA de las destacadas figuras históricas sobre cuya vida y trascendencia aún no ha fijado la crítica imparcial el fallo certero de un juicio definitivo es, sin duda, la del Rey portugués Don Sebastián, no obstante la copiosísima bibliografía con que la pasión ha glosado sus hechos. Las más encontradas opiniones, los más dispares adjetivos se han acumulado en torno al hijo del monarca Juan III.

Tratándose de Don Sebastián, pocas veces los historiadores han conocido término medio: ninguno se resigna a juzgarle teniendo en cuenta que hombre era y como tal influían directamente en él las circunstancias de ambiente. O se llega a la exaltación lírica —un poco inconsciente— de los apologistas que le hacen valeroso, puro, místico y bello, o se le considera con los detractores execrable, fanfarrón, vesánico e idiota [1]. Carlos Malheiro Dias y Antonio Ferreira da Serpa son los autores respectivos de los juicios que acabamos de transcribir.

Sólo en época muy reciente, después de las publicaciones del ilustre Queiroz Veloso, a base de centenares de documentos inéditos y de pri-

---

[1] Carlos Malheiro Dias: *Exortaçao a mocidade*, Lisboa, 1925. 8.º CVIII + 64 págs. Para la conceptuación de Don Sebastián y Felipe II cfr. el interesantísimo libro de Malheiro *O Piedoso e O Desejado*, Lisboa, 1925, 8.º, 175 págs.; Antonio Ferreira da Serpa, estudio preliminar a la *Cronica de El Rei Dom Sebastião unico deste nome e dos Reis de Portugal o 16.º, composta pelo P. Amador Rebelo, companheiro do P. Luis Gonçaluez da Camara, Mestre do dito Rei Dom Sebastião*, Porto, 1925, 8.º 283 págs. En la Bibliothèque Nationale de París hemos visto un interesante manuscrito de esta Crónica.

mera mano, se ha logrado que los estudios sebásticos cambien un poco de ruta y no sea la figura real el cañamazo sobre el cual pueden bordarse simpatías o diferencias políticas.

Mucho de esto sucede también con Felipe II: al lado de quienes han querido hacer de su figura la más temerosa encarnación de un espíritu atormentado y atormentador, cegado por un velo fanático, cruel y sanguinario, autor de horrendos crímenes cuya consecuencia exterminativa no se detuvo ni ante las puertas de la cámara filial, están sus panegiristas apuntando los dictados de sabio, prudente, cristiano y gran propulsor de los estudios y las artes [2].

Hubo una fecha —una fecha cumbre en la historia ibérica del siglo XVI— en que Don Sebastián y Felipe II tuvieron que resolver un problema vital para Lusitania y de honda trascendencia para el Estado español: 1576. Tenía entonces el Rey portugués poco más de veinte años; el castellano poco menos de los cincuenta. Aquél era impetuoso, acalorado, generoso e impulsivo. Éste, razonador, frío, dúctil para su provecho (que eran los intereses del Estado) y calculador. Uno y otro estaban entregados a la Iglesia Católica: Don Sebastián como resultante de su educación. Don Felipe sabiendo prescindir de ella cuando le era conveniente. Aquél era la pasión desprovista de fórmulas; éste, la formula con reservas de aplicación. El portugués daba la vida por la idea y sin embargo no sabía estar quieto en el coro; por el contrario, el español atendía con la máxima solicitud a los rezos, pero, si era preciso, no vacilaba en contrariar la decisión de una junta de teólogos.

Don Sebastián llevó una niñez distinta por completo de la de su tío. La educación y la orientación fue diferente en absoluto. Don Felipe estaba acostumbrado desde pequeño al trato de los secretarios, a convivir con la legalidad. Don Sebastián sólo conoció de niño la adulación y el ambiente propicio para sus fantasías. Mientras el uno ajustaba sus caprichos a la fórmula legal, el otro no encontraba límites a sus ideales caballerescos, antes bien, eran éstos sabiamente aguijoneados por los cortesanos, muy a pesar de los deseos de la *reina vieja*, que como dice acertadamente Llanos y Torriglia [3] desde la muerte de Carlos V «se aferró de tal modo a aquel último y triste rezago de su descendencia que ya, hasta que Dios la llamó a sí, no tuvo más pensamientos, tortu-

---

[2] Para la Bibliografía de Felipe II cfr. las *Fuentes para la Historia de España* de Sánchez Alonso, en su segunda edición.

[3] F. de Llanos y Torriglia: *Contribución al estudio de la Reina de Portugal, hermana de Carlos V, Doña Catalina de Austria. Discurso leído ante la Real Academia de la Historia en el acto de su recepción pública el día 2 de Mayo de 1923 y contestación del Excmo. Sr. Don Gabriel Maura Gamazo, Conde de la Mortera*, Madrid, 1923; cfr. pág. 46.

ras, ilusiones ni desengaños que los que de Don Sebastián o por Don Sebastián le vinieron».

Ya desde su nacimiento el Rey Cristiano venía circundado de una aureola de misterio, de algo sobrenatural. El pueblo, deseoso de tener

un Monarca, un Imperio y una espada

hizo rogativas, votos, ofrecimientos a la Divinidad, y la Divinidad atendió sus ruegos e hizo saber a las muchedumbres que pronto tendrían quien las guiase. Pero se lo hizo saber de una manera extraterrena, con apariciones, con fantasmas, con algo que espoleaba vivamente los nervios en tensión de sus futuros súbditos.

La crítica histórica ha rechazado ciertos hechos sobrenaturales, suponiendo que solamente se consignan por escrito algunos después del desbarate del Rey. Sin embargo, es conveniente recogerlos porque ellos nos reflejan un ambiente, un medio interesantísimo de tensión espiritual contemporáneo en unos casos, poco posterior en otros.

Aterrados los portugueses, oían en el aire rumores y estruendos de guerras, presagios anunciadores de desgracias y pérdidas de reinos. Sobre Palacio, aullidos tristes y espantosos. A la Princesa, espíritu delicado y enfermizo, de una sensibilidad grande, se le aparecían mujeres llorosas y enlutadas, y cuando dormía despertaba con mil temores y sobresaltos. Antes de nacer el Rey, circuló por Lisboa [4] una diabólica conseja: «Dijose por cierto que una vieja se fué a Santo Domingo, Convento de frailes de su orden, y a los oficiales de la Cofradía de Jesús dijo:

—Sentad por cofrade al príncipe Don Sebastián, que ansí se ha de

---

[4] He aquí cómo refiere estos hechos el Maestro Sebastián de Mesa en su libro titulado: *Iornada / de Africa / por el Rey Don / Sebastian. / y / Vnion del Reyno / de Portugal a la corona / de Castilla. / Avtor / El Maestro Sebastian / de Mesa, Cura proprio de la Parroquia de San Iusto, / y Comissario del Santo Oficio de la Inquisición / en la villa de Madrid. / Con licencia: / En Barcelona, Por Pedro Lacaualleria: Año 1630. (8.º 2 h. s. n. + 169 n.), Libro I, Cap. I:

«A media noche [del día 20 de Enero de 1554], dieron a la Princesa los dolores del Parto, auiendo precedido mil prodigios y presagios anunciadores de desgracias y pérdidas de Reynos. Oianse en el aire rumores y estruendos de guerra, y muchas noches sobre Palacio, aullidos tristes y espantosos. Aparecíanse a la Princesa mugeres llorosas y enlutadas, y cuando dormia, despertaba con mil temores y sobresaltos. Dixose por cierto, que vna vieja se fue a Santo Domingo, Conuento de frayles de su Orden, y a los Oficiales de la Cofradia de Iesus dixo: Sentad por cofrade al Principe Don Sebastian, que ansí se ha de llamar lo que pariere la Princesa, que no se sabe que muerte terná. Y dió de limosna vn real de plata.»

llamar lo que pariere la princesa, que no se sabe que muerte tendrá, y que dió de limosna un real de plata.»

Estas historias de aparecidos y fantasmas no han de escasear en el curso de su vida. Cosas terribles y revelaciones grandiosas dícese que oyeron algunas personas. «Estando o Padre Fray Louys de Moura, na sua cella de noite estudando, lhe falou hua voz, & disse: Eu sou a alma del Rey Dõ João, que te venho falar, & dizer cousas muyto importãotes. E o Padre lhe benzeo muitas vezes, chamando muitas mais o nomen de Iesus de sua parte dizendo se fosse...» Ni él ni sus hermanos quisieron revelar los pronósticos oídos [5].

Cuando en la mente de Don Sebastián germinan las ideas imperialistas de anexión africana, «espalham-se boatos para impressionar o povo: que a alma de D. João III aparecera a um frade agostinho, da Senhora da Graça, de Lisboa, e lhe dissera que dissuadisse o rey de ir a Africa. Corre tambem que uma noite, nos campos de Almeirin, aparecera a Vasco Silveira (que por tóda a parte lamentara o seu rei) um gigante extraordinario vestido de luto, apostrofando en lágrimas:
—Chora por ti e por mim!» [6].

Quince años tenía el Rey cuando visitó la ciudad de Coimbra, emporio del saber en 1570. Y allí también «foram vistos algumas noites no terreiro do paço dois homens a cavalo, a um delles em um branco com uns montantes nas mãos, que em altas vozes dician muitas cousas das desventuras deste Reyno e cousas mal feitas que nele se faziam, o contra o mesmo Rei D. Sebastiã-o e padres da Companhia, o que, segundo se dizia, o proprio Rei ouviu tudo muito bem; porem se abriam janela ou porta alguma, logo a faziam cerrar com arcabuzes que disparabam; e se dizia por o povo serem os cavaleiros el-Rey Don Alfonso Henriques e seu fillo D. Sancho» [7].

---

[5] *Miscellanea do Sitio / de N. S.ª Da Luz de Perdogao / Grande / Apparecimto. de sua sta Imagem. / Fundaçao do seu Conuento da / See da la Xa. Expugnaçao della / Perda del Rei Sebastiam. / E que seia, Nobreza Sor. Sa. Vass / allo del Rei Rico Home / Infançao Corte Corte / zia Mizvra Reverencia / e Tirar o chapeo e / Prodigios / Com mtas. curiozidades e P / oezias diuersas. / Por Miguel Leitao d'Andra. Comendador de Christo. / em Lxa. por Matheus Pinheiro / anno 1629.* Véase la pág. 207. Bibliothèque Nationale de Paris, signatura 4°Oy48. El autor tenía en 1626 setenta y cuatro años.

[6] Antero de Figueiredo: *Don Sebastião*, Lisboa, Artaud, 1925, pág. 276.

[7] Este hecho está relatado por Marcos de la Cruz en un curioso manuscrito que se conserva en la Biblioteca de la Universidad de Coimbra. Se publicó en el interesantísimo opúsculo de Augusto Mendes Simões de Castro, titulado *Notas acerca da vinda e estada de el Rei D. Sebastião em Coimbra no anno de 1570*, Coimbra, Imp. da Universidade, 1928, 8.°

Felipe II no vino al mundo con terror de súbditos y miedo de mujeres. Fue su educación sabiamente cuidada. Se le acostumbró a gobernar, no a imaginar empresas temerarias. En cambio, su sobrino —al decir de los cronistas— nació con lágrimas de vasallos, crióse con discordia de parientes y fue servido con envidia de privados que le aconsejaban más, según el grande ánimo que en él veían, que según la prudencia que era menester para un real entendimiento [8].

Y así, creyéndose providencial, estando en la firme convicción de que sus imaginaciones y proyectos debían ser obligatorios para los demás, teniendo la seguridad de que no eran súbditos para dirigir sino soldados para mandar, los ciudadanos que constituían su Estado, lógicamente pensó Don Sebastián lo que en su niñez han pensado siempre los hombres: fantasías, heroicas conquistas, grandes empresas guerreras que le sirviesen de pedestal sobre el cual asentar sólidamente la gigantesca estatua de una gloria a la cual estaba llamado de lo alto.

Quienes le rodeaban, en lugar de mitigar las fantasías del Príncipe, de llevarlas a los senderos de la razón, sólo servían para excitarle más con la narración de afortunadas bélicas expediciones, conquistas maravillosas emprendidas por sus antepasados, las cuales unían al sabor guerrero el aliciente de haber sido realizadas en remotos países, en las Indias aún no bien conocidas. «Referían delante del las proezas de aquellos valientes capitanes de la India, y cómo con muy pocos soldados habían vencido ejércitos de a cien mil hombres. Estos y otros discursos, acomodados con destreza a su humor, eran la materia de las más frecuentes conversaciones del Privado y los Padres con el Rey» [9].

Los privados sólo querían, para conservar su influencia, rodear al Rey de todo aquello que le fuese grato y marchase de acuerdo con su gusto. Así le entretenían constantemente con lecturas y narraciones de sucesos históricos.

Cuando cayó de la privanza Martín González de la Cámara, le sustituyó D. Cristóbal de Tavera, «tan obediente, tan sumiso, tan aprobando siempre la acciones de su dueño que como ya tenía solevado el espíritu sosegó poco los cuidados de la Reina» [10].

Impresionado Don Juan de Silva, Embajador español, escribe a Felipe II: «El Rey... tiene muy buenas partes naturales y muchas virtudes

---

[8] Cfr. el *Epitome de la vida y hechos de Don Sebastián dezimo sexto Rey de Portugal...por...Don Ivan de Baena Parada, Presbytero, natural de Madrid. Con Privilegio en Madrid, por Antonio Gonzalez Reyes. Año MDCLXXXII*, pág. 14.

[9] Baena Parada, *Epítome...*, pág. 27.

[10] Loc. cit.

14

de príncipe, pero su educación fue tan bárbara que no se han descubierto.» Y en otra ocasión, protestando del ambiente que le rodeaba, traza este completo retrato: «Es tan grande la adulación que le rodea que le osarán decir que es el más alto hombre de cuerpo que hay en Portugal, o el mayor músico, o cosa semejante» [11].

El ánimo juvenil, presto y aparejado para todas las moldeaduras y sugerencias extrañas, en cuanto éstas llevasen un derrotero paralelo al de las prematuras pero desarrolladas aficiones, tal vez fue engolosinándose con la perspectiva de poder un día coronarse Emperador de aquellos remotos países de China y Japón, a la sazón sólo tocados por jesuítas hispano-portugueses. Tal vez las *Relaciones* y *Cartas* de los Padres de la Compañía, leídas como al descuido por el privado Martín de la Cámara, fuesen minando el casi infantil cerebro y dejando en él la honda huella de un surco bien profundizado.

«Como era de naturaleza feroz ჳ robusta —escribe Mariz— [12] ჳ de espiritu vehemente ჳ leuantado, ჳ de coração inueçiuel ჳ determinado: não cuydaua senão em guerras ჳ em famosas cõquistas, ჳ militares emprezas. E nem e possiuel, senão que hum dia imaginaua sogeytar a si toda Berberia: outro arrazar os Muros de Constantinopla: logo fazerse senhor do Caliphato do Egypto: ჳ ter a sua obediencia a veneranda Palestina: en fin tudo o seu inuenciuel animo cortaria pela medida do seu desejo.»

A los catorce años sorprende al Padre Cámara, que le interrogaba sobre su pensamiento, con esta meditada contestación:

—Penso en tomar a Africa quando eu for de idade conveniente [13].

---

[11] Archivo de Simancas, *Secretaría de Estado*, Legajo 393. Cfr. J. M. de Queiroz Veloso: *D. Sebastião*. Lisboa, 1935, pág. 90; magnífico libro del príncipe de los sebásticos. Queiroz Veloso es hoy por hoy la guía más cierta en cuantos temas se refieren a D. Sebastián y el primero que ha puesto a contribución para sus investigaciones históricas centenares de documentos inéditos y desconocidos. Lástima grande que no se traduzca pronto al castellano su obra.

[12] Cfr. los interesantísimos *Dialogos / de / varia historia / Em que sumariamente se referem muy / tas cousas antiguas de Hespaña: E todas as mais no / tauees, que em Portugal acontecerão em suas gloriosas con / quistas, antes ჳ depois de ser leuantado, a Dignidade / Real. Y outras muytas de outros reynos, dignas de m⁰ / moria. Com os Retratos de todos os Reys de Portugal. / Avtor Pedro de Mariz. En Coimbra / Na officina de Antonio de Mariz / Com Priuilegio Real / MDLXXXIIII* (8.º [9]-244-[6] hojas con numerosos retratos). Véase el folio 233.

[13] Cfr. la *Iornada / de Africa / composta por Hieronomo / de Mendonça natural da cidade do Porto: / em a qual se responde a Ieronimo Fran / qui ჳ outros, ჳ se trata do sucesso da ba / talha catiuerio, ჳ dos que nelle pa / decerão por não serem Mouros, / Com outras cousas dignas / de notar. / Com licença da sancta Inquisição. / Em Lisboa. / Impresso por Pedro Crasbeeck. /*

Más tarde, dirigiéndose al Prior del Monasterio de Santa Cruz de Coimbra, ante la tumba de un antepasado, le dice al entregarle la espada de Alfonso Henríquez, con ademán brioso:

—Guardai, padre, esta espada, porque ainda um dia me hei de valer dela contra os mouros, metendo Portugal pela Africa dentro [14].

Esta idea de la conquista africana fue echando raíces en el ánimo del joven Monarca, tal vez por ser la más factible, dada la proximidad de las costas norteñas al territorio portugués. A los dieciocho años —1572— dirige una expedición para reconocer el terreno, sin haber previamente avisado a nadie. Pero las inclemencias del tiempo le hacen volver las naos que llevaba, al abrigo de los lares patrios, y en Noviembre desembarca en Lisboa un día de difuntos, entre el sombrío y silencioso luto de los que auguran un terrible porvenir para la nación conducida por aquel inexperto muchachuelo de quien tan desfavorables pronósticos habían corrido [15].

¿Significaba la vuelta del Rey una renunciación a sus planes guerreros? Esa tranquilidad apuntó por un momento en el pensar de los lusitanos. Pero sólo fue —ya lo decimos— un momento. Pronto pudieron convencerse de que su monarca no estaba dispuesto a retroceder en la empresa comenzada. Y no faltó, rápida, una ocasión en que se exteriorizase esta continuidad.

Un pretendiente desafortunado al trono de **Marruecos**, Abd-el-Melik (el Maluco de nuestros cronistas), había marchado a Argel, en donde logró contraer matrimonio con la hija del Rey de aquel territorio, persona muy favorecida del Gran Turco. Contando con la ayuda de éste y de su suegro, vence en batalla campal al legítimo Rey y se proclama Xarife Marroquí. Naturalmente, como la protección había de pagarse,

---

Anno 1607. / Com Priuilegio Real. / A custa de Iorge Artur, mercador de liuros. (8.º, 6-188-1 h.—Biblioteca Nacional de Madrid, R-14.224.) Véase el Libro I, capítulo II.

[14] Cfr. Figueiredo, *D. Sebastião*, pág. 158; Barbosa Machado, *Memorias para a Historia de El Rei D. Sebastião*, parte III, libro I, cap. 26; Queiroz Veloso, *D. Sebastião*, pág. 126; Augusto Mendes Simoes de Castro, *El Rei D. Sebastião e a espada de Affonso Henriques*, etc. Las tumbas reales que fueron abiertas a presencia de D. Sebastián fueron las de Alfonso II, Alfonso III y las Reinas D.ª Brita y D.ª Urraca.

[15] Para todo lo referente a la expedición véase el clásico libro de Hierónimo de Franchi Conestaggio *Dell'Vnione / del Regno di Portugallo / alla corona di Castiglia / Istoria / del Sig. Ieronimo / Conestaggio Gentilhuomo genovese / [Escudo] / In Genova, / A presso Girolamo Bartoli, 1589.* Cfr. ibid.: Barboso, *Memorias...*, t. IV; Pereira Baião, *Portugal cuidadoso e lastimado...*, Lib. II, cap. 33, y sobre todo la obra citada de Queiros Velloso, capítulo VI, págs. 189-219.

coloca en casi todo Marruecos gran cantidad de turcos. Esto significaba un serio peligro tanto para las fortalezas portuguesas de Azamor, Arcila, Tánger, etcétera, como para la seguridad del Estrecho, camino que quedaría expedito al Gran Turco [16].

Y esta es la ocasión en que Don Sebastián, viendo una triple utilidad, puesto que apoyaría al débil contra el poderoso, defendería la zona africana y tal vez alcanzase dominio sobre nuevas tierras, se decide a ir contra el usurpador Maluco con objeto de reintegrar en sus derechos al legítimo Xarife. Una vez hecho esto... *hei de meter Portugal pela Africa dentro,* había dicho.

Pero la situación militar de Lusitania no era muy favorable. Las naos escasas, escasos los jefes, y los soldados, sobre ser pocos, carecían de una disciplina bastante para campaña de la importancia de la que se pretendía acometer. Había, pues, una gran desproporción entre el pensamiento gigantesco del Rey y los casi nulos medios con que contaba para su realización. ¿En dónde proveerse de lo necesario? ¿A quién acudir en tal conflicto? Entonces es cuando Don Sebastián vuelve los ojos hacia la figura de su tío Felipe II, el poderoso Rey de España, para que los tercios hispanos que han combatido en Flandes, en Alemania y en América entren en batalla también bajo el sol ardiente de las costas africanas, tremolando el estandarte portugués.

Esta era la actitud de Don Sebastián. Ahora bien, ¿cuál era la que adoptaría Felipe II, cómo había de ver esta empresa y qué consecuencias tendría para él? El Monarca español era —lo hemos indicado— cauto, prevenido, sagaz, calculista, frío para los intereses del Estado. Era el perfecto tipo del Rey a quien no se puede engañar. Cada caso, cada negocio, pasaba por sus manos y él ponderaba, medía, aquilataba los pro y los contra de las empresas. Su actitud —apartando la pequeña influencia afectiva— obedecía siempre a la previsión.

Años antes, cuando Don Sebastián llegó a la edad en que el casamiento para asegurar sucesión al Reino era sobre conveniente, oportuno, Felipe II entrevió las extraordinarias ventajas que le reportaría un enlace hispano-lusitano para basamentar la futura unidad ibérica. Propuso para matrimoniar con el sobrino a una hija [17], la que más tar-

---

[16] Para la situación anterior de Alcazarquivir, cfr. el útil ensayo de João Paulo Freyre: *Alkaçer-Kivir, apontamentos históricos sobre a acção da Hespanha antes do dominio dos Filipes,* Lisboa, 1928, 8.º, 128 págs.

[17] Una interesante colección epistolar sobre estas negociaciones puede verse en la *Colección de Documentos Inéditos para la Historia de España,* tomo XXVIII, págs. 425-563. El capítulo V, *Os magoados casamentos do Rei,* del *D. Sebastião,* de Queiroz Veloso, es magnífico. Vide también el libro de F. de Llanos y Torriglia titulado: *Isabel Clara Eugenia, la novia de Europa,*

de fue Gobernadora de los Países Bajos, Isabel Clara Eugenia; envió emisarios que secretamente se entendían con nobles portugueses; hizo ver por todos los caminos las excelencias de este enlace frente a las de la candidatura [18] francesa que aspiraba a imponerse; apuró los medios posibles y sólo cejó en su empeño cuando hubo visto que sus pretensiones y deseos habían caído en buen terreno y que Don Sebastián parecía inclinado a tomar a una de sus hijas por esposa cuando llegase la ocasión.

Madrid, 1928 (250 págs.), que no conoció Queiroz Veloso, y el del mismo autor *Desde la Cruz al Cielo*, Madrid, 1934.

[18] Cfr. el utilísimo libro del Conde de São Mamede titulado *Don Sebastian et Philippe II. Exposé des negociations entramèes en vue du mariage du Roi de Portugal avec Margueritte de Valois*, París, Perdone-Lauriel, 1884 (4.º 129 páginas).

3

II

MATRIMONIO Y CONVERSACIONES

L proyecto a que nos hemos referido con anterioridad no pasó de intentado. La realización fue dilatándose espaciosamente hasta el punto de que Felipe II, cuando el portugués solicitó que se cumpliera, diluyó una réplica clara. ¿Por qué? Intentemos una explicación, ya que ella, o al menos los testimonios aducidos, contribuirá no poco a perfilar el carácter de D. Sebastián.

El rey español había enviado a D. Alonso de Tovar, sagaz, cauto y avisado político, para que sondease la voluntad matrimonial del lusitano. Sus gestiones, hábiles, tropezaron con una dificultad al principio. La candidatura francesa oponía serios obstáculos a los proyectos hispanos. Don Alonso conquistó voluntades, animó espíritus cercanos al Rey y éste, al pedir opinión a sus consejeros, la halló rápida y clara.

Tovar dice que D. Sebastián «escribió al Arzobispo de Évora que es un viejo cuerdo, y él le escribió una carta que yo he visto, aunque no la pude haber para invialla, harto bien escrita, con hartas persuasiones y ejemplos, diciendo cuanto mejor estará al Rey de Portugal abrazarse siempre con Castilla de cualquier manera que pueda, que no meterse en negocios ni en deudas con Francia» [1].

Pero aquellas gestiones fracasaron en el fondo, aunque aparentemente no. La educación del Rey, según unos, su incapacidad sexual, según otros, escindieron las posibilidades de este nudo.

Los embajadores no querían cargar con la responsabilidad de un enlace meramente político, sin consecuencias prolíficas para el trono. Véase el fragmento de una carta [2] dirigida a Felipe II —reservada y confidencial— por el Conde de Portalegre:

[1] Cfr. *Col. Doc. Inéd.*, t. XXVIII, pág. 432.
[2] El original de esta carta existe en el Archivo de Simancas, *Secc. Estado*, legajo 393. La copia que hemos utilizado está en la Bibliothèque Nationale de

20

«... aunque V. Mgd. no me aya mandado expresamente examinar la sospecha que se ha tenido de la hinabilidad del Rey para tener hijos, y la plactica sea indeçente es toda uia este articulo tan importante a la materia desta carta que no puedo dexar de apuntar lo que me pareçe.

Cosa es haueriguada *no hauer hecho el Rey prueua de si ni intentado jamas.* muestra demas desto tanto aborreçimiento a las mugeres que aparta los ojos dellas y si vna dama le da la copa busca como tomarla sin tocar la mano, juega vn dia entero a las cañas y no leuanta la caueça a las uentanas.

por otra parte el aspecto es de hombre muy sano y antes fuerte que defetuoso, dizen todavia que tiene en las piernas vna frialdad muy grande, y assi las abriga mucho, pero muy buena fuerça deue tener en ellas porque haçe grandes exerciçios a la gineta...»

Y más adelante:

«...criaronle los de la Compañia [de Jesús] afeandole tanto el tracto con las mugeres como vn pecado de Heregia, y beuio aquella doctrina de manera que no haçe differencia de lo que es uirtud y gentileza a lo ques ofensa de Dios, y assi sospecho que podria no hauer en el este effecto que se teme...»

Como confirmación a estas noticias, véase ahora el informe que en carta de 1569 dirige Fourquevaulx a Catalina de Médicis [3], publicado por Gachard:

«Madame, il me semble que je ferais déloyauté, si je vous célais ce qui m'a été dit, de peu de jours en ça, touchant le Roi de Portugal. C'est qu'il tient beaucoup de l'humeur du feu prince d'Espagne, sujet a sa tête, bizarre, variable et terriblement obstiné en ses opinions. Davantage suis adverti que tous ses médecins jugent et les astrologues judiciaires, qu'il ne sara point long homme, et une partie des dits médecins conseille qu'il le faut marier de bonne heure, afin de rémedier à une secrète maladie qu'on apelle gonorrhée, a laquelle il est sujet. Ces docteurs néamoins disent qu'il est habile pour avoir enfants. L'autre bande défend de le marier, car ce sera lui avancer sa fin; et tous, d'un sentiment, le condamnent a vivre peu d'années. En cela, Madame, de la bizarrerie du dit jeune roi il faut espérer qu'il se changera de mal en bien, à mesure qu'il croîtra en âge, car il n'a que quinze ans, et est excusable aussi,

---

Paris, *Fond Portugais, Mss. 8.* El texto ha sido publicado por Manuel dos Santos: *Historia Sebástica,* libro II, cap. XXV, y Barbosa Machado: *Memorias para a Historia de El Rei D. Sebastião.* Parte IV, lib. I, cap. 2. Cfr. la interesantísima nota de Queiroz Veloso, *D. Sebastião,* págs. 112-113.

[3] Cfr. Gachard: *Chroniques Belges inédites,* t. II, pág. 293; Comte de São Mamede, *Op. cit.,* ap. IX, págs. 122-124.

d'autant qu'il a été nourri du berceau à la portugaise, c'est-a-dire en superbe et vanité...»

Fourquevaulx, embajador de Francia en Madrid, insiste en que acaso la razón de la negativa de D. Sebastián a aliarse matrimonialmente con Francia, resida en que «n'a point puissance d'homme, et que son confesseur le sait».

Sin embargo, la conducta de D. Sebastián desmentía a veces la posible debilidad atribuída. No es es sólo el Conde de Portalegre el que testimonia sus afanes deportivos y su fortaleza; en un escritor [4] del siglo XVII, pero que se refería a personas que conocieron al monarca, encontramos una prueba de sus aficiones por ejercicio corporal tan duro como el toreo:

«Tambien toreó el Rey Don Sebastián muchas vezes en el Palacio de Enjobregas de Lisboa, viuiendo en el de la Reyna doña Catalina su abuela: Lo mismo hizo en el Piñeiro de Ebora, y en Saluatierra: esto afirman algunos Caualleros Portugueses de todo credito, que fueron testigos, y viuen oy, afirmando que siempre hizo suertes tan ayrosas, que sin respecto adulanse de ser hechas por persona Rey, merecieron alabança, y se les atreuio la embidia.»

El mismo Fourquevaulx duda y vacila a veces. En otra carta suya de 8 de Octubre de 1571, se arrepiente algo de lo anteriormente expresado y escribe:

«Je ne veulx, Madame, faire faulte de dire a Vostre Majeste que je suis adverti que le mal qu'on a dit de la personne du Roy de Portugal estoit sans raison, car il est beau prince pour sa taille, sain et robuste autant que son eage requiert. Vray est qu'il ne s'affectionne point à aymer les femmes, dont il ne l'on fault moins estime, car il s'en portera mieulx, et sera meilleur mari toute sa vie» [5].

Pero estas mismas dudas, estas testimoniadas inconstancias del Príncipe, ¿no dicen ellas solas sobre su carácter y hábito sobrado? Con Don Sebastián no se estaba seguro de acertar nunca. Acaso le dominase de tal modo la idea de la empresa africana, que a su lado desapareciesen las demás naturales preocupaciones orgánicas, creándose así un estado sicopatológico que, unido a sus taras hereditarias, contribuyera a producirle frecuentes arrebatos y excitaciones de tipo esquizoide.

Felipe II, convenientemente instruído por sus emisarios, cuando llegó el momento de la consulta en 1576 estaba al tanto de los planes y del carácter de su joven sobrino. Éste le pedía ayuda. Y reforzaba su petición

---

[4] *Advertencias y obligaciones para torear con el rejón,* por Don Luis de Trexo, Madrid, por Pedro Tazo, 1639, 8.º fol. [11] recto.
[5] Cfr. São Mamede y Gachard, *Ops. cits.*

22

con el intento de esposar a una de sus hijas. ¿Qué hacer? A su claro talento no se le ocultaba que la empresa africana era irrealizable y que de dirigirla en persona Don Sebastián, éste perecería.

Frente a frente estuvieron sus intereses y su corazón: aquéllos le prometían un futuro de unidad ibérica fácil cuando el joven monarca desapareciese; el otro le hacía considerar el problema espiritual que se le crea al dejar a un mozo inexperto, al fin de su misma sangre, sacrificarse para conseguir él un provecho. La lucha probablemente fue grande, torturadora para un espíritu tan complejo como el del fundador de El Escorial. Pero sobre la razón triunfó la humanidad. El estadista sucumbía ante el hombre honradamente afectivo. La fría razón de Estado quedó vencida. Apasionados cronistas ponen en su boca —contra justicia— las frases: —*Dejémosle ir. Si se pierde, buen reino ganaremos. Si torna, al casarlo con nuestra hija vendrá Portugal a nuestras manos.* Nada atestigua, sin embargo, la certeza de esta atribución.

Decidido a evitar una ruina a su sobrino, procuró por todos los medios disuadirle de su propósito, quitarle de la mente aquella descabellada idea, negarle los auxilios que le pudiera proporcionar, insistir de todas las formas y maneras posibles en que apartase aquel deseo de su voluntad. Pero no lo consiguió.

La corte portuguesa, mejor, la camarilla real, oponía infranqueable barrera a propósitos que no fueran los del Monarca. Todo sucumbía ante la ininterrumpida adulación cortesana. Don Sebastián quiere verse con su tío para concretar las peticiones, el matrimonio y la alianza [6].

En Junio de 1576, sale de Portugal, con objeto de pedir audiencia a Felipe II, Don Pedro de Alcaçova, privado muy querido que fue de Don Juan III y a quien las intrigas del Cardenal Don Enrique le hicieron caer de su valimiento hasta que en tiempos de Don Sebastián volvió a ostentar su poderío en el cargo de Veedor de la Hacienda, punto estratégico para desde allí poder hacer y deshacer a su antojo en cuantos negocios le conviniese y, al decir de un cronista: «home mui sufficiente e mui versado en negocios tão importantes». El Rey contesta a esa embajada con la de Don Cristóbal de Moura [7], Marqués de Castel Rodrigo, para que hablase con Don Sebastián y le dijese lo que acerca de aquel negocio sentía y cómo en tan loca y extraña pretensión iba a enterrar honra, vida y reino.

Pero mientras más tiempo pasaba, más vehementes eran los deseos

6 Cfr. los *Epistolarios* citados anteriormente, publicados en la *Colec. de Documentos Inéditos,* tomos XXXIX y XL.
7 Don Cristóbal de Moura, primer Marqués de Castel-Rodrigo, era de origen portugués y algunos historiadores lusitanos le consideran como un traidor que, al decir de Silva, «entregou quasi maniatada sua patria au jugo estrangeiro».

que D. Sebastián tenía de ir a África. La decisión suya era firme; urgía celebrar rápidamente las conversaciones a fin de no perder tiempo y poder partir en seguida. Fueron y vinieron correos hasta que, finalmente, se concertó con Felipe II la cita en el Monasterio de Santa María de Guadalupe, sin decirse concreta y generalmente el motivo. Aun entre el séquito castellano había caballeros que lo ignoraban. Celebraríanse las vistas coincidiendo con las fiestas de Navidad.

Sin ostentación alardosa de vistas reales, sin ceremonia oficial protocolaria de corte a corte, Don Sebastián y Don Felipe coincidirán en el viejo Monasterio. Dos peticiones habrían de tratarse en la reunión: la primera, referente a la ayuda que prestara el Monarca español al portugués, concretada por parte de éste en cincuenta galeras y cinco mil hombres de guerra. La segunda, que insinuó la Reina vieja, colocaba sobre el tapete de nuevo la cuestión del enlace. Don Sebastián tenía veintitrés años y no era caso de dilatar las bodas reales por comidillas cortesanas, «por inventos de cousas que o tempo ainda ha de mostrar, e que serão ou que não serão», según dice Barbosa [8].

Felipe II no soltaba prenda, sin embargo. Las respuestas [9] le retratan de mano maestra y por ello vamos a copiarlas aquí:

«En el primer punto de las vistas, que S. M. holgará mucho de ver al serenissimo Rey su sobrino, a quien siempre ha tenido y tiene por hijo, y que Su Alteza conozca de Su Magestad este amor.

En el segundo de Larache, que siendo este negocio tan comun a entrambos (habiendo disposiçion) Su Magestad hará en él lo que piensa hacer en todas las cosas que tocaren al Rey su sobrino.»

La alegría de Don Sebastián por acceder el Rey español a la entrevista, fue inmensa, extraordinaria. Atestíguanlo los términos de la carta-respuesta que le dirigió. El afortunado Queiroz Veloso la ha publicado [10] y de ella transcribimos estas líneas:

Fue hijo de Luis de Moura y de D.ª Beatriz de Tavora. Vino a España como caballerizo Mayor de la Princesa D.ª Juana, madre del Rey Don Sebastián, siendo después albacea testamentario suyo. Cfr. sobre él el gran libro de Alfonso Danvila: *Don Cristóbal de Moura, primer Marqués de Castel-Rodrigo*, y, entre los portugueses, principalmente el libro de César da Silva, *O Prior de Crato e a sua epoca, cronica episodica*. Lisboa, s. a., 8.º, 270 págs. Para el estudio de esos tiempos es también útil el ensayo de Damião Peres, titulado: *1580, O governo do Prior do Crato*, Barcellos, 1928, 8.º, 102 págs.

[8] Barbosa Machado: *Memorias para a historia de El-Rei D. Sebastián*, parte IV, libro I, cap. II.

[9] Archivo de Simancas, *Secc. de Estado*, legajo 393. Vid. Queiroz Veloso, págs. 226-227.

[10] *Op. cit.*, pág. 228. El original en Simancas, *Secc. de Estado*, legajo 393, autógrafo de D. Sebastián.

«He tan grande o meu contentamento esperando ver V. A. tão cedo como espero que com verdade lhe posso afirmar he hu dos mayores que agora podera receber; beijo as mãos a V. A. pola merced que me niso faz, que he conforme as que sempre me faz em tudo...»

En esta actitud colocado Don Sebastián, fácil es comprender que abreviara todo lo posible los trámites de la entrevista. Reunió caballeros, no muy bien proveídos, por cierto; apresuró fechas, despachó rápidamente asuntos pendientes y se dispuso a partir. Su compañía iba desmayada, triste, presintiendo —otra vez presentimientos y temores— alguna desgracia para el reino. Los pueblos rogaban al Monarca que no entrase en Castilla: ¡El Castellano, he ahí el enemigo!

«No quiero contar a V. m. los muchos requerimientos que le hizieron al Rey de parte de sus pueblos y en nombre del Reyno para que no entrase en Castilla ni saliese de su tierra, temiendo como vulgo donde no había que temer...» [11].

Signos adversos, malévolos planetas presagiaban funesto resultado a las vistas. Sobre Belem apareció un cometa color de fuego que se vio durante cuarenta noches a partir del 2 de Noviembre. El astro estaba en 18 grados del signo Sagitario, su inclinación meridional fue de 28°, 52', la cola hacia Portugal [12]: amenazaba, pues, según los astrólogos, gravísimo riesgo para el país. Ejércitos fantasmales se reflejaban en el cielo lisboeta.

Temerosos y acobardados los súbditos rogaron al Monarca que no saliese del reino. Pero de la adversidad esperaba fortuna el Rey; «a los que le querían aterrar y divertir de su malogrado intento, con el prodigio de un cometa, siempre fatales, que había aparecido: él, con la rara prontitud y viveza de genio que tenía, respondió:

—Eh! que no lo entendeis: que el cometa me está diciendo que acometa.» [13]

¡Ingeniosa paranomasia, cabriola en abandono de tierra firme para dar un salto en el vacío!

---

[11] Cfr. la *Carta del Dr. Juan de San Clemente a Ambrosio de Morales,* su tío, que publicamos más adelante.

[12] Cfr. Pingré: *Cometographie,* París, 1783, tomo I, págs. 511-519.

[13] Baltasar Gracián: *Agudeza y Arte de ingenio.* Madrid, 1929, pág. 115: «Por una ingeniosa paranomasia, jugando con el vocablo del sentido, respondió el nunca bastantemente llorado Rey Don Sebastián, a los que le querían aterrar y divertir de su malogrado intento, con el prodigio de un cometa, siempre fatales, que había parecido: él con la rara prontitud y viveza de ingenio que tenía, respondió: *he que no lo entendéis, que el Cometa me está diciendo que acometa.*»

III

GUADALUPE, ANTAÑO

QUIEN vea en la actualidad el Monasterio de Gua-
dalupe, apenas si podrá formarse una idea de lo
que era la Santa Casa en el siglo XVI. Sólo con
ayuda de copiosas fuentes documentales y aguijo-
neando la fantasía extremadamente, logrará obtener un pálido remedo del glorioso pasado de aquellos vetustos paredones en los que el aspecto bélico
y de fortaleza cubría un verdadero pueblo entrega-
do a numerosas industrias y quehaceres. No sólo resonaba en el recinto
amurallado el tañer del órgano y el suave murmullo de los rezos, sino
que eran acompañados con el recio martillo de la fragua conventual y
con los múltiples ruidos que producían las diferentes dependencias en
las que el trabajo manual formaba numeroso y creador marco a la ex-
tática contemplación y al embebecimiento miniaturista de los Jerónimos.

Amplios cortejos de frailes, nutridas columnas de peregrinos que
desde lejanas tierras venían, quiénes en cumplimiento de votos, quiénes
en busca de milagrosas, sobrenaturales curaciones de dolencias del espíritu o de la carne.

Diversidad de lenguas, extraños atavíos indumentarios, peregrinos
de bordón y calabaza, monjes que acudían a estudiar en la magna biblioteca guadalupense, grupos de doctos médicos haldudos que a la som-
bra de Francisco Arceo y otros habilísimos cirujanos buscaban el saber
y la experiencia de los hospitales del Monasterio. Tal era, poco más o
menos, la concurrencia de la Casa extremeña en el siglo XVI.

Vamos a servirnos de pluma ajena [1] para describir el estado de Gua-

---

[1] Pedro de Medina: *Libro de las grandezas de España.* Alcalá, 1566.

4

dalupe en la mitad del siglo XVI, porque es preferible el testimonio de un contemporáneo a cualquier evocación literaria que en presencia de los datos que conservamos pudiera hacerse; mucho más si la pluma que se utiliza es tan sencilla y docta como la del cosmógrafo Pedro de Medina. Leamos sus dichos sobre el Monasterio:

«Lo primero su assiento y postura es en lugar llano, en forma quadrada en manera de fortaleza. Tiene quatro esquinas: en cada vna de las dos están quatro torres fuertes, y en vna de las otras está el cuerpo de la yglesia. Y en otra vna gran libreria. Los lienços de torres y muros son altos y fuertes, dentro deste quadro que es muy grande está fundado el monesterio. Todo este assiento y fundación es dentro de la villa que se llama Guadalupe. La qual villa es población de mas de setecientos vezinos: es del mismo Monesterio y el Prior proue los officios y justicia: assi en lo Ecclesiastico como en lo secular. Toda la obra deste monesterio assi de la yglesia torre y muros como en lo demas es hecha con tal arte y primor que ninguna señal ni juntura en ella se muestra. Antes en tal manera es su labor que parece ser toda hecha de vna piedra.

La yglesia es grande de tres naues muy bien proporcionada. En el altar mayor es vn muy rico retablo, y en medio está el bulto de la sanctissima ymagen de nuestra señora la madre de dios. Su figura es deuotissima. Cuya vista pone spiritu de muy gran alegria y deuocion. Tiene una vestidura de cendal. Dizese que con esta vino de Roma. La qual siempre permanece en vn ser. Sobre esta es vestida de muy preciosas vestiduras.

Los milagros que la benditissima madre de dios ha mostrado, y muestra cada dia en esta sancta casa nadie basta a los dezir: porque son tantos que de los que escripto que con euidencia y testimonio de verdad se han traydo y aqui se han visto passan de tres mill: de los quales ay en esta casa muchos libros llenos. Yo vi vn libro donde es cosa de muy gran admiracion ver tantas y tan marauillosas obras de dios tales que muy claro y cierto se muestra ser hechas por su diuina mano.

Estan por las paredes y pilares de la yglesia muy gran multitud de hierros y argollas de captiuos que nuestra señora ha traydo sacandolos de la tierra y poder de los moros ح infieles y poniendolos en esta su sancta casa. Ay muchas mortajas de difuntos que han resucitado. Muchas muletas de tullidos y lisiados que han sanado. Bordones de infinitos coxos y enfermos que ha dado salud. Señales y figuras pintadas y de bulto de otros grandes milagros que ha hecho y haze que no se pueden numerar.

En esta sancta casa todos los dias y noches se hallan muchos romeros sanos y enfermos, y de todas maneras de personas con quien la bendictissima madre de dios ha mostrado y muestra grandes marauillas por la inuocacion y deuocion de su sanctissimo nombre. Esta sancta yglesia tiene muchas riquezas de cruzes, calices, encensarios y otras muchas pieças de oro y plata, ornamentos de brocados y otras cosas muy ricas en mucha manera.

En este monesterio ay aposentos muy señalados. En especial vna ospederia, para reyes y grandes señores. Esta es cosa de mucha grandeza. Porque en ella ay tantas Salas, camaras y otras pieças y aposentos muy grandes obrados y dorados con tanta obra y riqueza que no se puede dezir. Aqui los reyes Catholicos y otros sus antecessores muchas vezes se aposentaron. Y assi mismo la cesarea Magestad del emperador nuestro señor y la emperatriz muchos dias que han estado en esta sancta casa ha sido aqui su aposento.

Aqui es vna enfermeria para los Religiosos muy excelente, en tanta manera que paresce entrando en ella que pone a los enfermos salud y a los sanos se la aumenta. Cosa es muy grande la orden y concierto tan singular desta enfermeria y la manera della. En su Claustro es vna cisterna que tiene cien mill cantaros de agua fria para el verano. Y dentro del monesterio y fuera ay muchos caños de agua y fuentes muy buenas.

La libreria es muy grande y de muy sumptuosa y de rica labor y edificio muy bien obrado. Es adornada y llena de muchos y muy buenos libros de todas sciencias. Fuera del quadro del monesterio es otra Cerca grande y alta dentro de la qual ay cosas grandes y sumptuosas de las quales alguna parte aqui dire. Esta cerca con lo de dentro della y el monesterio tienen tantos edificios, Torres y chapiteles que mirado de lexos paresce vna pequeña ciudad.

Dentro de esta cerca son dos ospitales muy ricos y adereçados con muy gran seruicio y orden y vna botica de las bien proueydas que pueden ser. Vno destos es de hombres donde se curan gran numero de enfermos de todas enfermedades y se les prouee muy cumplidamente de todo lo necessario. Gastanse en este Ospital ordinariamente en cada vn Año nueue mill Ducados porque es muy grande el numero de los Enfermos que aqui son curados. El otro Ospital es de solas Mugeres y Mugeres hazen todo el seruicio que dentro del es menester. Son las enfermas que aqui se curan muchas de todo genero de enfermedades donde son proueydas muy enteramente y con gran Caridad de todo lo necessario.

Ay vn Colegio donde se enseñan mucho numero de Niños hijos de hombres pobres. Aqui se les da todo quanto han menester. Todos los Romeros y otras quales quier personas que a esta Sancta casa van son ospedados por tres Dias y se les da lo necessario muy cumplidamente

y quando se van a los pobres se les dan dineros y calçado muy bueno
para su camino. El portero del Monesterio da ordinariamente en cada
vn Año de limosna de calçado mas de tres Mill pares de çapatos.

Aqui se hazen todos los oficios mecanicos que en vna Ciudad se
hallan y de cada oficio ay muchos oficiales y todo lo que labran y hazen
es del Monesterio. De cada oficio tiene cargo vn Frayre que es veedor
y tiene cuenta y razón de todo ello; no puede un frayre tener cargo de
mas de vn oficio solo. Aqui es vna Sala muy grande donde come la
Compañia. Sientanse aqui a comer cada dia mas de Setecientas personas
a diferentes Mesas. Cada Oficio tiene su mesa señalada y aqui mientras
comen se les lee toda buena Doctrina y Exemplo. Tienen Silencio y
Quietud y Seruicio como en Refitorio. A la gente que aqui come y a
los demas del seruicio de la casa y Monesterio y Ospitales se halla que
da el Monesterio ordinariamente cada dia Mill y quinientas raciones sin
otras muchas trasordinarias. Hacense en esta muy Sancta casa contino
muchas Limosnas a todos los que a ella van. Y demas desto todo el
pueblo se sustenta della.

Gastanse en este Monesterio en cada vn año ordinariamente Diez
o doce Mil hanegas de Trigo y algunos años mas segun es la gente. Porque en los años que ay falta sustenta mucha mas gente. De ceuada se gastan mas de Ocho Mil fanegas. Proueese contino de tanto pan que siempre sobra del vn año para el otro mucha cantidad. De vino se gastan en
cada vn año casi veynte Mil arrouas. Es cosa de ver los Graneros donde
el pan se pone y las Bodegas del Vino tan grandes y lo que en ellas ay
que paresce bastarian para sustentar vna Ciudad. De carne ordinariamente se gastan en esta casa en cada vn año por lo menos Seys o siete
Mill cabeças de todo ganado es a saber Vacas, Carneros y Puercos y sin
esto lo que se gasta de Terneras, Cabritos y Gallinas y otras aues que
no tienen cuento.

Quanto media legua del monesterio es vn estanque de agua de donde
muelen muchos Molinos. Entre otros es vno que se llama el Molino
Manjon: este es muy señalado porque demas de ser muy grande mas
que los otros haze su mouimiento con tan gran fuerça, impetu y ligereza
que mirando su rueda parece que desfallece la vista. Muele en vn dia
cien fanegas de pan. La riqueza deste monesterio es tan grande que no
se sabria dezir porque de solo ganado tiene mas de treynta mill cabeças.
Las rentas y possessiones, eredamientos y otras cosas es tanto que yo no
lo sabria escreuir; las limosnas son tantas que no tienen cuenta.»

Beneficiarios y administradores de este monumento histórico, y de
los crecidos intereses que sus rentas y propiedades representaban, ran
los frailes jerónimos. Poseían estos reverendos los mejores monasterios
de la España de entonces y para completar sus dominios la Majestad

de Felipe II había añadido el disfrute del recién construído Escorial.

Si por tradición era eje de las preferencias de la Orden el Palacio de Guadalupe, pletórico de añoranzas y recuerdos ancestrales, por agradecimiento y como respuesta a la real confianza que les entregara a San Lorenzo, miraban este último como el brillante que más convenía destacar del joyel de sus claustros. Aunque en buena armonía es natural que las Comunidades incrementasen la afición de reyes y grandes hacia los respectivos monasterios, discurriendo, en lógica, que dos casas tan importantes y trascendentales como Guadalupe y El Escorial no podrían seguir su ruta sin que desde arriba les viniese el apoyo.

Por ello, aprovechando las coyunturas que se ofrecían, procuraban respectivamente atraer a los soberanos hacia sus residencias, bien seguros de que tales visitas vinculaban, por decirlo así, mercedes reales hacia sus claustros. Mucho más interés tenían en ellos los de Guadalupe porque, establecida la Corte en Madrid, la proximidad de El Escorial cercenaba posibilidades a una constante relación entre la realeza y el Monasterio.

Cada vez, pues, que había ocasión de que un Monarca les visitase, procuraban los extremeños agasajarle de manera que contrarrestase en cierto modo su actitud el alejamiento que las circunstancias de lugar le imponían.

Mucho crédito se jugaban los padres guadalupenses en ocasión tan señalada como ésta en la que iban a coincidir los reyes de España y Portugal, y así hubieron de extremar celo y diligencia para que Felipe II, que era la previsión en persona, no hallase defectos que censurar ni excesos que corregir.

IV

PREPARATIVOS EN EL MONASTERIO

L Monarca español quería adelantarse a la llegada de su sobrino e inspeccionar por sí mismo el estado del Monasterio y los preparativos hechos para que Don Sebastián fuese recibido con el honor y comodidad que a entrambos convenía [1].

Ocho jornadas duró el viaje de Felipe II desde El Escorial, en donde a la sazón se hallaba, hasta Guadalupe, al cual Monasterio llegó el día 20 de Diciembre de 1576, habiendo salido el 11. Hizo todo el viaje en coche hasta las proximidades del pueblo: allí se apeó de él y montó en una jaca pequeña. No bien hubo desembocado en la plazoleta delantera del Monasterio, cuando el Prior y monjes, prevenidos ya en la Iglesia, salieron con toda solemnidad hasta la misma escalinata delante del pórtico.

El aspecto de la comitiva debía de ser deslumbrador. Venían con el Rey, el Prior Don Antonio, el Duque de Alba, los Marqueses de Aguilar y Priego, el Conde de Buendía, Don Rodrigo Manuel, el Adelantado Don Rodrigo de Mendoza y su hermano Don Pedro, Don Diego de Córdoba, Don Diego de Acuña, Don Cristóbal de Moura primer Marqués de Castel-Rodrigo, Don Fernando de Toledo «sobrino y báculo del Prior de San Juan», el limosnero Real Don Luis Manrique, el Capellán de S. M. Don Íñigo de Mendoza, los Santoyos, Mateo Vázquez de Leca y el Conde de Fuensalida.

Habían colocado los jerónimos en la gran escalinata una alfombra rica y en su extremo inferior, el que llegaba a la plaza, dos cojines

---

[1] Para todo lo referente a este capítulo, véanse las obras generales citadas y los textos que publicamos más adelante.

que, según nota un cronista, «pudieran ser mejores». Presentó, ante todo, el Prior al Rey una cruz en la que había engastado un *lignum crucis* y llegóse éste a besarla devotamente. Con el pie rechazó levemente Don Felipe los cojines y arrodillóse sobre la alfombra para adorar la cruz. ¿Fue por humildad o porque no le parecieron tan buenos como él estimaba que le debieron ofrecer?

Levantado, rodeáronle los frailes y en procesión le llevaron hasta la primera grada del altar mayor, en el cual habían puesto un magnífico sitial de brocado con dos almohadas. Devotamente hizo oración el Rey a la Virgen y concluída «llegó el Prior desta sancta casa y con él todos los Priores que lo son en otras siendo hijos desta, a besar a S. M. las manos, y estaban aquí porque particularmente fue orden de S. M., que en esta sazon ningun fraile profeso de aquí faltase a este convento». Díjose misa que oyó el Rey con toda devoción y acabada que fue retiróse a su cámara. Comió en ella y en seguida bajó, sin quitarse siquiera las espuelas, a ver los aposentos preparados para los portugueses. Personalmente los revistó, dio su conformidad y diputó quién había de disfrutar de cada cual, haciendo que se inscribiesen los nombres respectivos en cédulas fijadas a las puertas.

En estos quehaceres pasó la tarde y llegó la hora de vísperas, las cuales oyó desde el coro en compañía de Don Rodrigo de Mendoza y Don Diego de Córdoba. Tocóse el órgano, díjose un *fabordón* que los frailes todos cantaron. Terminadas las vísperas, Don Rodrigo de Mendoza le condujo hasta su aposento alumbrando el camino con un candelabro de plata. Acompañábale también el Prior de Guadalupe, con quienes conversaba el Rey. Cenó y retiróse a descansar. Con esto concluyeron los trabajos del jueves 20 de Diciembre de 1576.

Dejemos descansar a la Majestad española y acompañados de los cronistas contemporáneos giremos una visita por los claustros y aposentos del Monasterio, que bien lo merecen el cuidado y la diligencia que se empleó en adornarlos para la solemne ocasión que iban a servir.

Treinta y tres salas y cámaras estaban aderezadas [2] «de tapicería de oro, y plata y seda, con camas de seda y brocado y damascos bordados, con blandones de cera y servicio de plata blanca» para el Monarca portugués y su séquito. Era entre todos los aposentos el más solícitamente preparado el que había de ocupar Don Sebastián en persona. Habían echado el resto, como vulgarmente se dice, los frailes jerónimos en obsequiosidades para el huésped y procuraron que nada faltara de cuanto pudiera apetecer la ostentación portuguesa. Y con habilidad de

---

[2] *Col. doc. inéditos*, tomo VII, pág. 181.

frailes, sutileza de políticos y generosidad española, supieron arreglar de tal modo la cámara de S. A. que a buen seguro *O Desejado* no encontraría tan rico asilo en ninguno de los palacios lusitanos. Los cronistas coinciden en asegurarnos la magnificencia con que estaban preparados los anchurosos locales. Felipe II halagaba así la juvenil vanidad de su sobrino. Destinóle para aposentarse la Hospedería del Monasterio.

Entrábase a las habitaciones de Don Sebastián por una sala de treinta pasos de largo y diez de ancho tapizada con diez paños de seda y oro magníficos; pasábase después a un enorme salón de ciento cuarenta y un pasos, aderezado de igual forma que el anterior, aunque la tapicería tomaba diferentes asuntos, pues si en aquél se pintaba la historia de Noé, el argumento de los paños era en éste el complejo de los siete pecados capitales. El dosel representaba la lucha de los héroes y los dioses, entre cuyas figuras destacaba sobremanera la de un Faetón en su caída y la de un Júpiter tonante, «arrojando rayos tan ricos y con tantas piedras y cosas preciosas, que si acertaran a caer en casa de algún pobre hombre le pudieran matar muy bien la hambre». Encuadraban el dosel tres líneas latinas; a los lados, un dístico:

Quanto gravior offensa Deorum
tanto nullae adversus Deos vires,

y por bajo, una advertencia:

Discite justitiam et non timnere Divos.

Venía después la antecámara regia de Don Sebastián, ornada con seis colgaduras de seda y oro representando la fábula de Neptuno y Pomona. En el real aposento, cifra y orgullo de la hospitalidad y elegancia de los jerónimos, se habían acumulado las joyas ornamentales de la casa con el propósito de que fuera tan grata a los ojos de Don Sebastián como a los de su tío el Rey de España. El ajuar era de tan linda hechura como extraordinario coste material; todo ello había sido propiedad de la madre del Monarca lusitano. La cama «de tela de oro morada y plata blanca cubierta de redecilla menuda de oro y plata; las cortinas de tela de oro morada adamascada y cobertor, dosel y silla de lo mismo». El suelo estaba todo cubierto de riquísimas alfombras de seda.

Por un corredor se comunicaba con la pieza conocida con el nombre de habitación *del Gran Capitán,* cuarto destinado al Camarero del Rey, y tras él se hallaba el cuarto *del Infante,* amueblado espléndidamente por la Marquesa de Miravel, la heredera del cortesano Don Luis de Ávila y Zúñiga; allí se hospedó Cristóbal de Tavora. Dieciséis celdas grandes se acondicionaron para los caballeros que acompañaban a Don Sebastián, y la celda del Prior, junto a la Sala Capitular, estaba destinada a ser el mudo testigo de los graves problemas de Estado que iban a tratar tío y sobrino.

Todos estos preparativos permanecieron después de la inspección realizada por Don Felipe, excepto los hechos en la habitación del Gran Capitán. He aquí cómo cuenta el motivo de esta leve variación un testigo presencial:

«Anticipóse un aposentador de S. A. a venir a ver el aposento de su Rey, y como llegó a la hospedería y viese el aderezo tan rico que en ella había, preguntó a unos alabarderos castellanos qué hacían allí. Dijéronle que guardaban aquellos aposentos para el Rey de Portugal, y él replicó:

—Ainda vos digo que não dexeis entrar se não fore o filho de Deus!

El dicho se ha reído, pero, en castigo de esta presunción, entró un gato y en la cama que estaba más adentro de la del Rey (id est, la del Gran Capitán), como no hallara cosa más acomodada se ensució de manera que en ninguna de las del mundo se pudo aprovechar de aquella cama, a lo menos en aquel aposento, porque era muy claro y no lo fuera menos el defecto que había en ella. Mandó S. M. que la pasasen a otro más oscuro y allí estuvo algo disimulada. Han quedado desto los portugueses tan corridos que si se les hiciera una muy gran afrenta, y no lo han estado menos los criados de S. M., a cuya cuenta estaban estas cosas, y así se lo dijeron el día que llegó».

Ricos tambien —pero no tanto— eran los aposentos reservados para el Rey de España y sus caballeros. En un amplio corredor caminero para el campanario, con ventanas que dan la iglesia del Monasterio, hiciéronse las necesarias obras de reparación, levantando tres tabiques, para dividirlo en varias habitaciones, de las cuales, la más cercana al altar mayor fué la escogida por Felipe II para su habitación, ya que desde el lecho podría ver a la Virgen. Las llaves de este aposento tenían los de la Cámara. Cercanos estaban los cuartos de los caballeros españoles, «bien compuestos y de mucha curiosidad, pero no con tanta como los de los huéspedes portugueses» [3].

---

[3] Las instrucciones de Felipe II para preparativos, aposentamientos, etc., están publicadas por el P. Carlos G-Villacampa en la revista *El Monasterio de Guadalupe*, 1928, págs. 4, 34, 71 y 376.

V

DE LISBOA A ESPAÑA

ON Sebastián sale de Lisboa. La opinión corriente señala el día 12 de Diciembre para la partida del Rey. Hay quien afirma que fue el 4; otros aseguran que el martes día 11; esto último, atestiguado por el músico toledano cuya *Relación* publicamos luego, parece ser lo más verosímil [1].

Concuerdan los cronistas en que a Don Sebastián acompañaban muchos cortesanos, pero no sucede así al llegar a una fijación numérica. Hay quien indica que eran setenta, mientras otros aseguran que cuatrocientos y aun el doble. Fray Juan de San Jerónimo, al tratar en sus *Memorias* de la entrevista de Guadalupe, consigna el hecho de que por aquellas fechas distribuía

---

[1] Lafuente, en su *Historia de España*, tomo X, pág. 110, dice que ocurrió la salida el día 12; el P. Amador Rebelo, en los *Apontamentos* citados, señala el día 4 (Cfr. Biblioth. Nat. de Paris, *Mss. Port. 15*, fols. 297-309 vuelto); Antero de Figueiredo, en *Don Sebastião*, habla imprecisamente de «a metade de Decembro»; Luis Cabrera de Córdoba, en la *Historia de Felipe II, Rey de España*, Madrid, Aribau, 1876, dice del viaje solamente que «a doce salió de Lisboa y en la ciudad de Badajoz y otras villas... fue recibido... con ceremonias y solenidades». Sebastián de Mesa, en la *Iornada de África*, asegura (fol. 31 vuelto) que «El Rey Don Sebastián partió a doce del dicho mes auiendole embiado [Don Felipe] sus aposentadores». Antonio Cuéllar, en *Notas sobre el Rey Don Sebastián de Portugal*, in *Rev. Centro Est. Extremeños*, I (1927), 193, se apoya en el viaje de Lisboa a Badajoz realizado doscientos sesenta años más tarde (1836) por Jorge Berrow, el famoso llamado *Tío Jorgito, el Inglés*, autor de *The Bible in Spain*, para sostener lo dicho por el P. Rebelo. Díaz Pérez, en *Reseña Histórica de las fiestas reales celebradas en Badajoz*, pág. 42, dice: «Púsose D. Sebastián en marcha, saliendo de Lisboa, según unos autores, el 2 de Diciembre de 1576, y según otros, a fines del año de 1577». Como se ve, Díaz Pérez disparataba copiosamente.

el Monasterio aproximadamente 700 raciones diarias, y hay que tener en cuenta que en dicha cifra entraba también el séquito de Don Felipe.

Los portugueses, con la fanfarronería que les atribuyen los contemporáneos, indicaban que el Rey venía «muy a la ligera», es decir, sin ostentación y sin aquel boato cortesano a que, de creerles, estaban habituados. Más de un comentario burlesco suscitó entre los caballeros esta presuntuosidad. Recordemos las viejas coplas de un truhán guadalupeño:

> Visto que hubo relación
> que venían hasta setenta
> con el Rey, según su cuenta,
> en ver que *ochocientos* son
> a un fidalgo se presenta;
> Pregúntale —entre otros cuentos—
> cuánta gente el Rey traía,
> y él dijo con osadía:
> —*Naõ vem mais de oitocentos,*
> *que a la ligera venía...*

Veintitrés caballeros principales, cuatrocientos hombres de a caballo y dos coches nos dice otro historiador que venían. Conocemos de nombre a los más importantes y, con variaciones de poca monta, hay bastante uniformidad en su designación por los cronistas. Entre unos y otros se pueden recoger hasta veintiuno de ellos que son los siguientes: Don Jorge de Alencastro (Duque de Aveiro), Don Álvaro de Silva (Conde de Portalegre), Don Juan de Mascareñas, don Francisco de Sáa, Don Luis de Meneses, Don Luis de Silva, Don Francisco de Portugal, Don Vasco Coutinho, Don Francisco y Don Cristóbal de Tavora, Don Diego López de Lima, Don Francisco Barreto de Lima, Miguel de Moura, Manoel Coaresma, Pedro d'Alcaçova, Conde de Sortella, Don Luis de Ataide, Don Juan de Melo, Don Juan de Silva, Don Lucas de Andrade y Don Álvaro Pires. ¡Cuán ajenos estaban entonces de que la mitad de ellos caerían con su Rey en la desastrosa jornada que tan alegremente gestionaban!

Acomodáronse S. A. y el séquito en una galera real que les llevó hasta cerca de Aldeia-Galega. Allí tomaron un bergantín y varios bajeles que a fuerza de remos los condujeron, anochecido, al pueblo. No había previsión suficiente para la grandeza real. Ruines las posadas; los paradores, menos que medianos. La ciudad, sin embargo, recibió al Rey lo mejor que pudo y supo. Pusiéronse dos mesas: en una Don Sebastián; en otra, enorme, los caballeros. La cena, de acuerdo con el real gusto, fuerte, con muchos servicios de carne [2].

---

[2] Cfr. los textos que luego publicamos. De allí se toman las noticias para confeccionar este capítulo en su mayor parte.

El aposento, esmero de la villa, entapizado de carmesí. La cama, grande, de tres altos.

Mucho descanso tuvo el Rey para ser comienzo de tan larga jornada: Levantóse tarde y ya eran pasadas las diez de la mañana cuando se le sirvió el almuerzo. A las once, nuevamente de camino, hasta Landeira, a cinco leguas de Aldeia-Galega.

Landeira, pueblecillo de hasta veinte casas, recibió a S. A. con todos los honores locales: a la entrada, esperaban los vecinos endomingados, dirigidos por el cura del lugar, llevando a su frente la cruz. Nuevo descanso de la comitiva. El aposento, menos ostentoso que el del día anterior, estaba decorado con tapices verdes.

El jueves, 13, muy de mañana, a las ocho, salieron para Montemor: todo el día caminando. Aquí hubo que utilizar de nuevo para la cámara el color carmesí que había servido en Aldeia-Galega. Tan escaso era el equipaje del Rey que sólo traía dos aderezos y dos aposentadores.

El primer pueblo importante señalado en el itinerario real era Évora. Urgía, pues, llegar pronto para evitar el fastidio aldeano y componer con el regalo de tan gran ciudad las incomodidades inherentes a los lugarejos. Oyó, pues, S. M., bien temprano, misa. Comió carne con la general extrañeza, por ser viernes; los caballeros, pescado. A las ocho, púsose el Rey a caballo y a las cuatro de la tarde echó pie a tierra ante la ciudad de Évora.

En la planicie evorense, a la entrada de las amplias vías, esperaba al Monarca la ciudad en pie. El Obispo, los Inquisidores, el Claustro de la Universidad, le aguardaban; más adentro, el Cardenal Don Enrique. Unidos todos, condujeron a Don Sebastián hasta el Palacio. El descanso fue mejor que el de los días anteriores y el recibimiento estuvo a la altura esperada, teniendo en cuenta la importancia de Évora.

Veamos cómo nos la describe un cronista [3] casi contemporáneo:

«La tercera iglesia metropolitana, en Portugal, es la de la Ciudad de Ebora, que está fundada en la probincia de Alemtejo, cuya fundacion la tienen en Portugal por mui antigua aunque de cierto no se sabe. En la *Chronica* del rey Don Alfonso Enriquez se refiere que en el año 1154 gano esta ciudad a los moros...

Esta puesta Ebora en un llano, tiene salidas espaciosas, tiene una buena plaza circundada toda de portales, que los portugueses llaman *barandas,* y en ella ay vna fuente, que llaman de la plata, cuya agua fue

---

[3] El mss. anónimo de la Bib. Nac. de Madrid, titulado *Floresta Española,* escrito muy a comienzos del s. XVII fue publicado en la *Revue Hispaniaue,* tomo 34, pág. 300, con el título de *La Península Ibérica a comienzos del siglo XVII.*

traida aqui por el rei Don Juan 3 de Portugal; viene de tres leguas de Ebora, y llamanla asi porque costo muchos ducados.

Ay buenos edificios y yglesias parrochiales, y 8 monasterios de frailes y 6 de monjas, y un colegio de la Compañia. Ay Tribunal de la Inquisicion y Unibersidad aprobada. Ay muchos caballeros y muchas viñas, y todos bastimentos; ay mui grandes dehesas, do se apaçientan gran suma de ganados. Tiene cercana la bera de Paramanca do ay muchedumbre de huertas y do se cogen extremados vinos.»

De Évora y después de almorzar como de costumbre, carne D. Sebastián y pescado sus acompañantes, salieron a las nueve de la mañana del sábado 15 de Diciembre con dirección a Estremoz. Recibióle la ciudad con algunos caballeros y —según el testimonio de un cronista— «con bien poco sentimiento de alegría».

Pensó D. Sebastián no caminar el domingo, quizá en atención a la festividad; pero el ardiente deseo de encontrar a Felipe II y acaso, acaso, la frialdad con que le habían recibido, modificó este propósito.

Así, pues, a la mañana, oída misa, partió para Elvas. ¡Bien diferente recibimiento el de esta villa al de Estremoz! Elvas, ciudad fronteriza, líndisimo lugar colgado de una montaña, mucho más semejante a las poblaciones andaluzas que a las portuguesas, ardió en fiestas para recibir a su Rey [4].

Más de mil personas acudieron a esperarle, las quinientas a caballo, con la Justicia y Regimiento. Aquí aguardaba a S. M. una gratísima sorpresa para quien como él estaba obsesionado por la idea guerrera: Elvas había dispuesto en un llano a la entrada, cuatrocientos hombres de armas con picas y ciento cincuenta arcabuceros que a la entrada del Rey le hicieron salva de honor y le llevaron hasta la ciudad.

Repartiéronse los caballeros por las mejores posadas que había y S. M. descansó en un palacio harto bien aderezado. El Embajador español, D. Juan de Silva, presentó a D. Sebastián ciertos caballeros españoles que habían venido desde Badajoz para servirle y acompañarle. Buena impresión debió de causar esto en el ánimo de D. Sebastián y no menor en el de Silva, por cuanto aquella noche le ofreció un espléndido banquete.

Era Elvas el último pueblo portugués [5] de la jornada. Sólo a unas

---

[4] A la estancia en Elvas del Rey D. Sebastián dedicó un estudio mi querido amigo el ilustre bibliófilo portugués D. Antonio José Torres de Carvalho en el periódico local *Correio Elvense*, hace muchos años. Ni él ni yo hemos logrado rescatar un solo número para haber podido citarlo aquí rigurosamente.

[5] Díaz y Pérez, en su *Reseña Histórica de las Fiestas Reales celebradas en Badajoz*, Madrid, 1899, pág. 42, dice que desde Elvas hasta Badajoz acompañó a D. Sebastián el Obispo de Elvas D. Antonio Mendes de Carvalho, primer prelado de aquella sede.

leguas estaba la frontera española, el mísero riachuelo Caya, en invierno con agua, pero en verano seco. ¡Menguada línea divisoria que apenas si tiene vitalidad para subsistir y que, sin embargo, es muro infranqueable y opuesto a la confusión de dos naciones hermanas!

La noche del 16 debió de estar preñada de preocupaciones para Don Sebastián. Dentro de pocas horas podría estar en España para dar comienzo a la jornada más trascendental de su vida. Hasta aquí era Rey; de la línea en adelante, sólo huésped. ¿Cómo lo recibiría el pueblo español? ¿Qué respuesta daría Felipe II a sus preocupadas interrogaciones?

No se atrevió a salir el 17, lunes, y permaneció todo ese día en Elvas, acaso meditando sus normas de conducta política en el futuro inmediato. La noche del 17 fue la última que pasó en tierra portuguesa. Descansado, con nuevos alientos, emprendió al día siguiente la marcha para Castilla.

El primer lugar que le ofrecía hospedaje era Badajoz. En el siglo XVI tenía la ciudad una importancia extrema. Su situación privilegiada con respecto a Portugal —paso obligado— atraía multitud de pasajeros y feriantes que llenaban el recinto urbano apretado por las murallas. Acaso D. Sebastián y sus caballeros no conocían otra cosa sino las descripciones existentes en libros vulgares, en geografías, en las *Grandezas de España,* de Medina [6]. Tal vez un caballero del séquito le leyese el siguiente pasaje:

«Es la ciudad de Badajoz vna de las principales no solamente de Estremadura sino tambien de toda la Lusitania. Esta asentada cerca de la buelta, y torcedura, que haze el rio Guadiana, para endereçarse al medio dia y esta puesta destotra parte del rio hazia Oriente, apartada vna legua de la raya de Portugal. Es ciudad muy hermosa de muchas güertas, jardines y recreaciones, muy abundante de pan, vino, azeyte, carnes y pescados, y muy proueyda de frutas, y de todos los otros mantenimientos, y cosas, que son necesarias a la vida, y sustento de los hombres. Llamose antiguamente este pueblo Pax Iulia, o como otros quieren Pax Augusta. Esta puesta en tierra muy bien poblada porque

---

6 *Primera, y segvnda / Parte de las Grandezas y cosas notables / de España. Compuesta primeramente por el Maestro Pedro de Medina / vezino de Seuilla, y agora nueuamente corregida y muy amplia/da por Diego Perez de Messa. Catedratico de Ma-/tematicas en la Vniuersidad de Alcala. / Dirigida al mvy catolico, y mvy poderoso / Rey don Philippe, segundo deste nombre, nuestro Señor. / España / [Mapa de España] / Con Privilegio. / Impreso en Alcala de Henares, en casa de Iuan Gracian, que sea en gloria. Año 1595. / [Filete] / A costa de Iuan Torres, mercader de libros,* fol. 189. Biblioteca de la Academia de la Historia de Madrid, signatura, 14-9-3-3.168. La primera edición es de la primera mitad del siglo XVI.

tiene cerca de si la ciudad de Ielues, y la villa, y castillo de Albur-
querque, y a Xerez de Badajoz y otros pueblos muy principales.»

Un docto varón de aquellos tiempos, cuyo nombre no nos ha legado
la historia, describe así la ciudad del Guadiana:

«Juntándose con los muros desta çiudad, se pasa a ella por una larga
y hermosa puente, en cuyo remate y principio de los muros esta una
sumptuosa puerta que son dos fábricas tales que, siendo en nuestros
tiempos Luis de Morales, famoso pintor en ella, se diçe por exçellençia
que en Badajoz ay tres p. p. p. mui notables, que son: puente, puerta
y pintor... Tiene 4 iglesias parrochiales, 4 monasterios de frailes, 2 de
monjas. Labranse aqui mui buenas bergas de ballestas, y mas las del
maʌstro Grajales que son famosas. Suelen salir de aqui buenos soldados. Ay muchos hijos de algo. Es tierra de mucho pan y bino y azeites.
Goça de naranjas. Ay mucha miel y çera. Está cercada de antiguas murallas. Ay en la semana mercado franco, y una feria de mucho ganado
que se haçe el dia de S. Marcos, en 25 de Abril. Suelen salir de aqui mui
buenos caballeros. Ay otros dos rios, llamados Çebora y el Zaya: en
Çebora se crian mui buenas truchas. Su clima es mui caliente y fria.
Esta puesta en 39 grados y 21 minutos. An salido de aqui barones señalados...»

Don Sebastián recordaba seguramente estas y otras noticias parecidas
de las corografías y descripciones usuales. Pero sobre sus pensamientos ardía el interés de la jornada. Los instantes entrañaban honda preocupación espiritual para el hijo de Juan III. De la actitud del pueblo
castellano y de su Monarca dependía con exclusividad el renacimiento
del imperio portugués. Cualquier accidente que turbase una buena armonía, cualquier caso fortuito podía destrozar estas esperanzas. El
camino de España se acortaba con presteza.

Sólo faltaban pocos kilómetros para que el Monarca portugués entrase en Castilla. ¿Llegaría? ¿Obedecería los repetidamente manifesta-
dos deseos de sus súbditos? El día se entintaba con los oros de un sol
pálido, invernizo. El Rey iba solo, delante. A distancia respetuosa le seguían los caballeros. En la lejanía se divisaba el tropel de los castellanos
que aguardaban al Monarca. A unos centenares de metros de la raya
fronteriza, detúvose en un alto brusco, se izó sobre los estribos y con
la mano puesta en la frente, a guisa de pantalla, oteó el horizonte [7].
¿Vacilación? ¿Duda? Poco duró. El caballo, floja la rienda, emprendió
de nuevo la marcha. A las doce de la mañana entraba Don Sebastián,
Rey de Portugal, por vez primera en tierra española [8].

---

[7] Mss. citado en la nota 3.
[8] Cfr. Juan de San Clemente: *Carta a Ambrosio de Morales,* que publicamos más adelante.

VI

HORAS EN BADAJOZ

L pisar la raya, franqueó el mísero puentecillo internacional y tomó una posta que le llevó casi tres cuartos de legua, hasta cerca de la puerta de Santa Marina. Allí le esperaba el Obispo de Badajoz con el Cabildo de la Santa Iglesia Catedral pacense, a caballo. Apeóse la dignidad eclesiástica y, detenida la comitiva extranjera —el Rey delante, detrás los caballeros—, les hizo un agradable razonamiento de salutación.

Harto contento fue para Don Sebastián este recibimiento y así lo hizo presente en unas pocas palabras con que contestó a Su Ilustrísima. Acabadas las cortesías, el Rey se llevó la mano al sombrero y agachó un poco la cabeza hacia adelante sonriendo. El Cabildo volvió a montar a caballo y partió hacia Badajoz para preparar el recibimiento que en la Catedral había de hacérsele.

A poca distancia del puente de Palmas esperaban al Rey cien arqueros ricamente compuestos, enviados por la ciudad para proteger su persona y séquito.

Brillantes las armas, los vestidos costosísimos, hicieron mella sin duda en el ánimo real. El Alguacil Mayor iba por Capitán de esta guardia. Ciento cinco caballos de posta puso a disposición del Rey el Correo Mayor de Castilla Don Raimundo de Tassis, los cuales fueron distribuidos entre los hidalgos portugueses que precisaban relevo.

Dieron la vuelta con el cortejo para entrar por la puerta de Santa Marina, en donde ya estaba reunida la ciudad. La Justicia Mayor y el Regimiento, ataviados de finísima seda, con mangas abiertas y en punta, coloradas y amarillas, botas blancas y gorras de plumería; amarillas las calzas y los jubones.

6

La disposición era la siguiente: Dos maceros abriendo la marcha, luego los escribanos del Cabildo, el Mayordomo y Procurador General, detrás los Regidores y, por último, la Justicia. Al llegar a Santa Marina sonaron las trompetas, sacabuches y chirimías tan concertadamente que a todos produjo honda emoción. Un palio riquísimo y enorme, cuyas veinte varas tomaron otros tantos Regidores, cubrió al Rey que cabalgaba aún en su pequeño cuartazgo. Badajoz seguía a pie al Monarca.

El Alcalde Tejada había tomado sus disposiciones de policía urbana [1]. Mandó que fuesen barridas todas las calles y que se entapizaran los balcones y casas por donde había de pasar el Rey. Don Diego de Hoyo, Corregidor y Justicia Mayor, y el Obispo de la diócesis extremaron tanto su celo en este sentido que no poco tuvieron que admirar los forasteros de la solícita previsión extremeña.

Desde Santa Marina subieron por la calle de San Francisco

> do hay mucho moço gallardo
> y damas a las ventanas
> de hermosura dechado [2]

hasta dar vista al Campo de San Juan: destacante la inmensa mole cuadrada de la Catedral pacense.

En la puerta del Perdón le aguardaba el Obispo, revestido de Pontifical, con toda la clerecía y una inmensa muchedumbre que a duras penas podían contener los cien arqueros de guarda. La calle de Comedias, la de la Munición Vieja, la de San Blas, la de Hernando Becerra, la de San Juan, apiñaban en sus esquinas a la multitud expectante.

Cuando apareció el Rey en la Plaza, hubo un silencio solemne. Descabalgó. Apenas sus pasos resonaban en el pavimento. La multitud no tenía más que ojos. Don Sebastián subió unos escalones de la grada, llegó a donde estaba el Obispo y, destocado, se hincó de rodillas y adoró la cruz que le presentaban. Su Ilustrísima preguntó al monarca:

—¿Quiere V. A. entrar en la Iglesia, si es servido, a hacer oración?

Y respondió sonriente el Rey:

—A iso venho [3].

Levantóse y miró a la inmensa muchedumbre. En un ángulo de la

---

[1] Díaz y Pérez, *op. cit.*: «El Regidor D. Simón de Silva y Chapín fue el encargado por la ciudad para erigir los cuatro arcos triunfales y alegóricos en las calles del tránsito hasta la puerta de la Catedral. El Juez de la saca, Don Juan Bravo y Saravia, con corchetes, menistriles [*sic*] y alguaciles, velaban por el orden en toda la carretera.» Págs. 43-44.

[2] Cfr. Joaquín Romero de Cepeda: *Famosísimos Romances*, que publicamos luego.

[3] Cfr. San Clemente, *Carta a Ambrosio de Morales*.

plaza, un hombre, ¿Alonso Maladros, el organista; Luis de Quiñones, el Maestro de Capilla?, distribuía emocionadamente unos papeles pautados a otros varios, portadores de instrumentos. Y cuando el Rey iba entrando en la Catedral, oyóse un concierto musical bien acordado y surgió la voz de los cantores. Quedó quieto Don Sebastián escuchando el siguiente villancico a él dirigido, que acaso cantó la buena voz de Francisco Franco o de Juan Barquero:

> Rey tan mozo y tan lozano
> guarde Dios y a nuestro Rey
> y acresciente Dios su ley
> y el sancto nombre christiano.
>   Dele fructo digno dél
> tal que dél sea Dios servido
> y sea dél tan querido
> qual David su sieruo fiel.
>   Dé Dios vida a tal doncel
> tan mozo, bello y lozano
> y acresciente Dios su ley
> y el sancto nombre christiano.
>   Y de aqueste ayuntamiento
> destos dos tan altos reyes
> en paz prosperen sus greyes
> y les dé honra y contento.
>   Salga de aquí un fundamento
> que sea gloria al soberano
> y acresciente Dios su ley
> y el sancto nombre christiano.
>   Levante España su nombre
> en toda gente y nación
> y en sancta congregación
> de Christo viva todo hombre.
>   Todo infiel turco se asombre
> con este nombre lozano
> y acresciente Dios su ley
> y el sancto nombre christiano.
>   Sea del mundo quitada
> toda mácula y mancilla
> y Portugal y Castilla
> Francia y Roma prosperada.
>   La Santa Fé sea ensalzada
> por este Rey tan lozano
> y acresciente Dios su ley
> y el sancto nombre christiano [4].

En el interior del templo había un dosel con su sitial puesto cerca del altar mayor; al llegar allí «se humilló y no hincó las rodillas sobre

---

[4] Cfr. Cepeda, *op. cit.*

44

los coxines, sino sobre el dosel no mas, y hauiendo hecho oración esperó a oír los versos y oración que el Pontifical manda se diga a las entradas y recibimientos de los Reyes naturales, los quales dixo en canto su Señoria Reuerendissima y después le echo la bendicion Episcopal y con esto salio su Alteza de la yglesia» [5].

Al salir de la Catedral, dos mujeres pidieron merced al Rey: anciana la una, casi niña la otra. Doña Antonia y Doña Catalina, madre y esposa, respectivamente, de Don Diego de Monroy, muerto a mano airada por Juan de Morales [6], un caballero de Badajoz que buscó refugio en Portugal. Con dolor reconcentrado la primera, a gritos la segunda, pidieron al Rey la extradición del culpable. Pero no lograron la Real gracia suplicada.

En el Campo de San Juan tornó a subir en su cuartazgo y de nuevo bajo palio, y acompañado por la ciudad, emprendió la ruta para la cárcel. Había otorgado Felipe II a Don Sebastián facultades reales castellanas y entre ellas la de soltar presos. Sabia previsión porque era no sólo una merced al Monarca, sino porque le hacía conquistarse en ciertos casos el afecto y la gratitud de los pueblos.

Algún cronista sebástico dice con respecto a estas facultades que «El Rei D. Sebastião teve tal modestia que de nenhuma quis usar». Esta aseveración es notoriamente inexacta: el testimonio de los cronistas castellanos patentiza que D. Sebastián utilizó tales prerrogativas, sobre todo en Badajoz. El Ayuntamiento tenía juntos en el zaguán de la cárcel noventa y dos presos: unos por deudas y otros por haber quedado sin parte contraria. A todos dio suelta con mano liberal.

vino luego por la plaça
do ay mucha dama mirando
muchos doseles de seda
de fino paño y brocado
por el suelo y las ventanas
de mujeres ocupado [7].

Por las carnicerías y la calle de la Concepción llegaron a la Real de Chaparro y desde allí al campo de San Andrés.

El campo de San Andrés, la más linda plaza de Badajoz, estaba llena de tapicería: los balcones engalanados y en ellos multitud de damas ávidas de conocer al joven Monarca. Bajó luego la comitiva por la vieja calle de la Trinidad y al llegar a la Puerta de este nombre, hízose

[5] Cfr. San Clemente, op cit.
[6] Cfr. Torres Tapia: Crónica de la Orden de Alcántara, tomo II, pág. 455.
[7] Cfr. Cepeda, op. cit.

un alto. El Corregidor humillóse al Rey y besóle la mano; palabras de gratitud salieron de la boca de Don Sebastián:

> diziendo que aquel seruicio
> el lo tomaua a su cargo
> para que Su Magestad
> sea de todo informado
> y que él dará noticia
> de su gouierno y cuydado
> agradesciendole mucho
> lo que en esto ha trabajado [8].

Hízole acatamiento y despedida también el Cabildo Catedral, entregóse el Estribeiro Mayor en el magnífico palio con que la ciudad obsequiaba al Rey y acompañados los portugueses por la guarda castellana hasta el Rivillas, acomodáronse en las postas y salieron del término de Badajoz. Solos ya, y mientras Badajoz se ocultaba en la lejanía, D. Sebastián, vuelto hacia el Duque de Aveiro, le preguntó:

> —¿Qué os parece desto, Duque,
> qué aueis de aquesto notado?
> —Muy bien, respondiera el Duque,
> a vuestra Alteza han honrado;
> la ciudad de Badajoz
> mucho aura en esto gastado,
> la riqueza de Castilla
> bien se nos yua mostrando [9].

Muy satisfecho debió de salir D. Sebastián de la jornada de Badajoz. Para mayor éxito de todo, el día era festivo, de los que más se solemnizaban en la ciudad.

[8] Cfr. Cepeda, *op. cit.*
[9] Cfr. Cepeda, *op. cit.*

VII

ORRIENDO la posta llegaron a Talavera y allí hicieron noche. Una grata sorpresa les aguardaba y es
la de que el aposentamiento corría por cuenta del
Rey D. Felipe y hallaron tan bien aderezadas las
posadas, con tanto gusto, riqueza y ornato, que un
criado del Conde de Portalegre, admirado del cuarto que se destinaba a su señor, exclamó:

—¡Consagro a os Evangelhos que não pode
aquí dormir se não Deus! [1]

Todo el gasto, desde la raya fronteriza, había dispuesto el Monarca
español que se pagase a su cargo. Don Juan de Silva llevaba muy buen
cuidado de que se hiciera así y cuando los portugueses intentaban ad-
quirir algo, hallábanlo ya pagado por orden real.

Porfiaban los lusitanos en que se les tomaran sus dineros y para
acabar con estas importunaciones dio orden Silva de que se recogiesen
al mayordomo de Don Sebastián trescientos reales a cuenta de los gastos, ofreciéndoles aquella misma noche una espléndida cena en la que
se gastaron más de cuatrocientos escudos.

Harto agradó el banquete a Don Sebastián, que por vez primera pro-
baba las delicias culinarias extremeñas. Seguramente que gustó el su-
culento *caldillo,* la *cachuela,* fuerte y especiosa, o los bien adobados *chi-
charrones,* y para postre las *perrunillas, magdalenas, pestiños, gañotes*
y *flores* enmeladas, típicas de aquella región y aquella época, todo ello
bien regado con tinto de Cuacos, blanco de Jarandilla o tresañejo em-
bocado de la Corchuela [2].

---

[1] Cfr. la *Relación del Músico Toledano,* que publicamos luego.
[2] Estos vinos, que son los mejores de Extremadura alta, figuran juntos en
una copla popular que dice así:

> El tinto de Cuacos,
> De Jarandilla, el blanco;

El arte coquinario extremeño, que iba a imponer sus recetas a la cocina francesa de 1807 en adelante, gracias a aquel magnífico *Libro* del Convento de San Benito de Alcántara, llevado como precioso obsequio por el General Junot a su esposa Mme. Laura, la futura duquesa de Abrantes, conceptuado por el gran Maestro Escoffier en *Le guide culinaire* como «el máximo trofeo, lo único ventajoso que logró Francia de aquella guerra», tenía ya en el siglo XVI una espléndida floración [3].

Agradóse tanto Don Sebastián de la comida que aquella noche cenó más que de ordinario y mandó que siempre le guisasen, de allí en adelante, cocineros castellanos [4].

Descansó en Talavera y bien temprano salió para Mérida, a cuya ciudad llegó a las dos de la tarde. ¡Qué diferencia entre los recibimientos que hacían en España a Don Sebastián y los de Portugal! En Mérida aguardaban a S. A. el Vicario y doce Regidores de la ciudad vestidos con ropas de terciopelo carmesí, forradas de raso amarillo, calzas y ju-

---

De Pasarón, el clarete;
De Jaraíz, de toda suerte.

Tienen fama las tierras de la Vera de Plasencia de poseer exquisitos caldos. En las *Amenidades, Florestas y Recreos de la Vera Alta y Baja de Extremadura*, delicioso libro de Gabriel Acedo de la Berrueza, refiérese una anécdota que por ser casi contemporánea de D. Sebastián y de Carlos V, recogeremos aquí. Dice, pues, así:

«Preguntado en una ocasión un alemán de los que al servicio del Emperador estaban, que dijese cuál tierra del mundo de las que había estado parecíale mejor, hizo esta dilación, respondiendo así: "Lo mejor del mundo es España, y lo mejor de España es la provincia de la Vera, y lo mejor de la Vera es Jarandilla, y lo mejor de Jarandilla es la bodega de Pedro Acedo de la Berrueza; allí es lo mejor del mundo, y allí quisiera que me enterraran para irme al cielo, porque tiene el mejor vino del mundo." Celebró mucho el Emperador la respuesta del alemán, y sabido el caso por el tal Pedro Acedo, que era honrado y generoso hidalgo, le llamó a su casa, en compañía de otros amigos, y entraron en la bodega y gustaron el vino que en ella había, y después le dijo al alemán que cuál le parecía mejor de todo el vino que había en su bodega, el cual alemán señaló dos tinajas de las que mejor le parecieron entre las demás, de mejor olor, gusto y sabor. Pues la una, dijo Pedro Acedo, será para el Emperador, y la otra para V. S., y supuesto que mi bodega es la mejor del mundo y V. S. sabe el camino, véngase por acá siempre que gustare, que en todo tiempo será bien recibido. Conque se partió a palacio muy contento, y contó al Emperador lo que habíale ocurrido con el dicho Pedro, que también celebró mucho, y más el dicho alemán cuando vio entrar por palacio las cargas de vino que habían prometido.»

[3] Una buena apología de la cocina regional extremeña, con indicaciones útiles para el siglo XVI, existe en la excelente *Guía del buen comer español*, de mi docto amigo Dionisio Pérez, Madrid, 1929, págs. 40-55.

[4] Cfr. la *Relación del Músico Toledano*.

bones de raso blanco. Llevaban consigo un magnífico palio con doce varas bajo el cual lo cobijaron hasta la iglesia.

Hecha oración condujéronle a sus aposentos con gran concierto y solemnidad. Mérida, penetrada de quién era y cuáles los intentos del regio visitante, se desvivió por obsequiarle. Los Regidores y el pueblo a porfía quisieron hacerle grata la estancia y hasta un soldado, no teniendo acaso otro mejor presente que ofrecer, entregó a Don Sebastián un soneto, hijo de ruda minerva, pero de buen deseo:

> De las estrellas y rodado vuelo
> que observamos del cielo soberano
> se halla que aquel tiempo es muy cercano
> que habrá un cetro y pastor por todo el suelo.
> No faltan conjeturas de que un velo
> por gran prosapia y con el cetro austríano
> ha de ser quien con cierta y pronta mano
> hará lo que promete el alto cielo.
> El tiempo ya se fué y el gran señor
> que habrá de conseguir cosas tan bellas
> claro está que lo habrá ya dado Dios:
> En vos vemos las letras y el valor
> y ansí sin calcular ni ver estrellas
> basta que sospechemos que sois vos [5].

---

[5] Consérvase en el British Museum, fondo español, Add. 20.934, tomo de papeles varios en 4.º, papel XII, folio CX-CXI vto., con el siguiente título:
—*Soneto que dió un soldado de Mérida al Rey Don Sebastián quando iba a verse con Felipe II de Castilla en Guadalupe.*
Comienza:

> De las estrellas y rodado buelo...

Vide: Pascual de Gayangos, *Catalogue of the manuscripts in the spanish language in the British Museum*, London, 1893, vol. I, pág. 607. El soneto carece en absoluto de valor literario, y si alguno tuviera se lo haría desaparecer totalmente la bárbara construcción del copista, que debía de desconocer el castellano. Es inédito. En el texto proponemos algunas correcciones, pero el original dice así:
—*Indo el Rey D. Sebastian para Guadalupe, a verse com seu tio El Rey de Castilla Phelipe 2 passando por Merida lhe deu hu sol⁹ o seguinte soneto.*

> De las estrellas y rodado buelo
> que observemos del cielo soberano
> se alla que aquel tiempo, es ya cercano
> que avrá un sceptro y Pastor por todo el suelo.
> No faltarán congeteiras que un uelo
> por sa gran prosapia, y sceptro Austriaco
> ha de ser quien con certa y justa mano
> hará lo que promete el alto cielo.
> El tiempo ya se fué y el gran señor

7

Casi ininteligible, por entre sus bárbaros versos vemos un aliento y un apoyo que por estar concebido entre armas y dado a luz en campamento, debió de ser gratísimo a quien sólo ponía su imaginación en empresas bélicas.

Por eso, aunque Don Sebastián se agradaba mucho de suntuosos recibimientos, mayor alegría le procuraban aún los que consistían en exhibición militar. Al salir el jueves 20 de Mérida para Medellín, pasó por un lugarejo de escasos vecinos, y como acudieran a recibirle cuatro hombres solos, tres con picas y el otro con un arcabuz, holgó mucho de ello. A media tarde del mismo día llegó el cortejo a Medellín.

Era señor de Medellín el Conde del mismo título, Don Rodrigo Jerónimo de Portocarrero, caballero de la Orden de Alcántara, casado con Doña Juana de Córdoba, hija del segundo Marqués de Pomares y de Doña Francisca de Zúñiga y Lacerda.

Don Rodrigo Jerónimo, hombre de una ostentación y bizarría extraordinarias, quiso preparar al Monarca portugués un recibimiento digno de su persona y ordenó fiestas de toros, juegos de cañas y palio, todo lo cual no pudo ejecutarse porque Felipe II, conociendo a su súbdito, no consintió que el vasallo aspirase a un señalamiento digno sólo de la realeza.

Y que hubiera sido así lo abonan otros actos de gentileza realizados ya por Medellín. Oigamos cómo los refiere el ingenioso extremeño Don Luis Zapata [6] de Chaves en su *Miscelánea:*

«Por un neblí perdido que estaba en el aire, ni en diez y seis días se había podido hallar, dió el Conde de Medellín... a Don Luis de Guzmán, hijo del Marqués de la Laguna, setecientos ducados, y hallose despues porque la largueza de la compra no quedase tambien en el aire.

Mas de estas larguezas del Conde de Medellín no hay que espantar, pues dió por un caballo ruzio a un caballero de Córdoba nueve mil ovejas con sus padres y perros, y todo un hato como si volara.»

Afirma Solano de Figueroa [7] que era «muy ostentoso y bizarro en

---

que avrá de alabar cosas tan altas
claro está que lo avrá ya dado Dios.
En vos vemos las letras y el valor
y ansí sin calcular ni ver estrellas
basta que sospechemos que sois vos.

[6] Véase: *Miscelánea, silva de curiosos casos,* por Luis Zapata de Chaves, Señor de Çehel, ed. A. R. Rodríguez Moñino, Madrid [1931], pág. 109.
[7] Cfr. Juan Solano de Figueroa y Altamirano: *Historia y Santos de Medellín, culto y veneración a San Eusebio, San Palatino y sus nueve compañeros mártires,* impresa en Madrid, por Francisco García y Arroyo, 1650. Véase el párrafo referente al tema:

todas sus acciones, seruiasse con gran magestad y grandeza y tan dado a todo genero de caza que era su unico empleo» [8].

Salió a recibir a Don Sebastián juntamente con su hijo Don Juan y con algunos caballeros, parientes y parciales suyos. Llegados a la comitiva, pidióle la mano al Rey, pero éste, teniendo en poco a un noble provinciano a quien no conocía, ni se la dio ni se quitó el sombrero.

Fue presentando uno a uno a todos los que con él venían y al llegar al primogénito del Condado se limitó a decir:

—Este es Don Juan, mi hijo mayor.

Un caballero de los que le acompañaban, estimó acaso que el Rey no había hecho el reparo que debía en persona de tan alta nobleza, y adelantándose un poco hacia él exclamó:

—El Señor Don Joan es el hijo mayor de Su Señoría.

De que, según un testigo, «los que con el Rey uenían lo rieron no poco y el Conde se corrio harto mas».

Conociendo el carácter de Don Rodrigo Jerónimo, fácil es adivinar el enojo que semejante caso ridículo le produciría. Muy mucho debió de acrecentarlo lo sucedido después. Fue la ocasión el presentar al Rey dcs hombres de la guarda, caballeros en soberbios alazanes magníficamente arreados, diciéndole:

—Estos, Señor, son los leales.

Mucho agradó al Rey la gentil apostura de ambos y mandóles que pasaran adelante, lo cual ellos hicieron de muy buena gana, sino que al volverse, al uno reparó un poco el caballo y saltando ciertas motas de polvo fueron a dar en cara a Don Sebastián, quien importunado con la molestia, dijo:

—Apartarvos; estos homes não são leales...! [9]

Con estos y otros sucesos, dieron vista a la puente de Medellín, fá-

---

«155. Sucedió en el estado de Medellín a su padre Don Iuan Portocarrero, tercero conde, Don Rodrigo Geronimo Portocarrero, quarto conde de Medellín, Cauallero de la Orden de Alcantara; muy ostentoso y biçarro en todas sus acciones, seruiasse con gran magestad, y grandeza, y tan dado a todo genero de caça que era su vnico empleo. Fue muy fauorecido del Rey Don Sebastian, a quien en la jornada, que hizo a Guadalupe (para despedirse de su tio el Rey Salomon de España, y consultarle la malograda intentada empresa de Africa) assistió y siruio con tanto lucimiento, y ostentacion, que desde Merida a Guadalupe (que ay 19. leguas) hizo toda la costa al Rey, y a su casa, en que gasto mas de quatrozientos mil ducados. Y entre otras cosas de valor le dio cincuenta caballos con sus jaezes y aderezos. Y su alteza se mostró agradecido en lo que pudo y visito a la Condesa su muger, que se auia ido a possar (por dexarle todo su palacio) a las casas, que oy viue el Licenciado don Alonso Velazquez, Vicario de Medellín...»

[8] *Op. cit.*, fol. 138 vto.

[9] Cfr. la *Relación del Músico Toledano.*

52

brica romana que aún hoy resiste los embates del tiempo con mejor fortuna que otras construcciones locales contemporáneas. Pasado, entraron en la villa y al llegar a casa del Conde, pudo percatarse el Rey de quién era su huésped. El suntuoso palacio propio había sido desalojado incluso por la Condesa, que fue a vivir a las casas que muchos años después ocupó el Arcipreste.

El cuarto principal de la mansión se reservó para Don Sebastián. Daban acceso a él una antecámara y una cuadra riquísimamente alhajadas y cubiertas de suntuosa tapicería de oro y seda. En la cámara se le puso un lecho magnífico que había sido de la madre de D. Sebastián.

La cena ofrecida aquella noche debió de ser apropiada a la ostentación de Don Rodrigo. Baste apuntar que trajeron hasta nieve para que se enfriasen las bebidas. Por cierto que la variación y abundancia de los platos y lo copiosamente que fueron regados contribuyó a que se desconcertasen los vientres de los caballeros y, achacando la culpa a lo que menos la tenía, les quedó como proverbio *la nieve de Medellín*.

Obsequió además el Conde a Don Sebastián con valiosos regalos, entre los que no fue el mayor y sí el más vistoso, el presente de cincuenta caballos con sus jaeces y aderezos. No contento con esto «hizo toda la costa al Rey y a su casa desde Mérida a Guadalupe, en que gastó más de cuatrocientos mil ducados» [10].

El portugués comprendió al fin quién era el Conde y visitó a la Condesa su mujer que, como hemos dicho, se había ido a vivir fuera de palacio por dejarle más sitio.

[10] Solano de Figueroa, *op. cit.*, 155.

VIII

DE MEDELLÍN A GUADALUPE

 ESCANSÓ y por la mañana dispúsose a partir de Medellín. Y si al llegar no quiso Don Sebastián hacer cortesía al Conde, tal vez creyéndole un noble provinciano de tercera fila, al despedirse hízosela tan grande que saldó el descuido de la primera [1]. Salió a las ocho de la mañana para Madrigalejo. En Lobón le esperaba infinita gente deseosa de ver al Rey: soltaron allí trece presos que había sin parte contraria o por deudas.

Al pasar por tierras de Villanueva de la Serena, le aguardaban el Vicario y cuatrocientas personas, doscientos con arcabuces y el resto con lanzas y adargas. Cogieron en medio a los portugueses y lleváronles hasta Madrigalejo, a cuyo lugar llegaron a las cuatro de la tarde.

Ricamente habían dispuesto el aposento a los portugueses: el Rey disfrutó de una cámara, verde y carmesí, que fue en la que murió Fernando *el Católico* [2]; las posadas de sus caballeros colgadas de brocado. Muy bien cenaron todos y a la mañana del día 22 se dispusieron a partir para la Venta de los Palacios.

Antes envió D. Sebastián a D. Cristóbal de Mora para que viera a Felipe II en Guadalupe y consiguiese de él que fuese retrasada su recepción en el Monasterio un día, puesto que como se había de detener forzosamente en la Venta de los Palacios y en Puertollano, era mucho apresurar la jornada para tan breve día.

---

[1] Como prueba del afecto que tomó Don Sebastián por el Conde de Medellín, el día 28 de Diciembre envió a la Condesa desde Guadalupe «çiertos pares de guantes adobados y un muy rico Rubi».

[2] Cfr. la *Relación del Músico Toledano.*

No consintió en esto el Monarca español e hizo volver al diplomático Mora con el expreso mandato de que de ninguna manera dejase de llegar D. Sebastián en la fecha convenida, o sea el día 22 por la tarde [3].

Con esta no muy grata noticia, recibida en el camino, continuó Don Sebastián hasta la Venta de los Palacios, en donde le aguardaba el Mayordomo Mayor del Monasterio de Guadalupe con varios Padres Graves, quienes tenían aparejado el almuerzo abundante de carnes y pescados; de entre estos últimos lo mejor eran unas blancas y tiernas truchas enviadas por el Duque de Béjar.

Poco tiempo se detuvo la comitiva en la Venta de los Palacios, pues era preciso, antes de llegar a Guadalupe, hacer alto en Puertollano, en donde el Regimiento de Talavera había echado, como suele decirse, la casa por la ventana para solemnizar tan fausto acontecimiento. Como a media legua salió a recibirle el Alcalde Mayor de la Hermandad Vieja de Talavera con el Cuadrillero Mayor, riquísimamente ataviados de terciopelo verde y pasamanería de oro, al frente de ochenta cuadrilleros con ballestas.

Avanzando un poco, encontraron a varios caballeros regidores de Talavera, entre los que se encontraban D. Luis Loaisa, D. Hernando Girón y D. Cosme de Meneses; hiciéronle una arenga de la que el Rey holgó mucho y, juntos todos, llegaron a las dos a Puertollano, «que es vna Ruin uenta pero para esta ocasion bien adereçada por el Regimiento de Talauera; auia a la entrada vn arco de lienço pintado lo mas curioso y bien enrramado que ellos pudieron con yeruas apazibles y olorosas y gran cantidad de gallardetes y vanderolas con las quinas de Portugal y brocados y vn buen dosel».

Apenas descabalgaron, sentáronse a comer y todo el tiempo que duró la colación estuvo acompañada de música y cantares alusivos a la solemnidad festejada. Sirvióse la cena en platos de cerámica talavereña, hechos para esta ocasión, con las armas de Portugal. No bien terminaron de levantarse los manteles, llegó un correo diciendo que Felipe II había salido ya de Guadalupe para encontrarse con S. A. [4] en el camino.

---

[3] Es extraño que no haga referencia a esta embajada Danvila, en su libro sobre Moura.

[4] Para diferenciarlos en la narración, damos al monarca portugués el tratamiento de Su Alteza y al Castellano el de Su Majestad, aunque a partir de Don Sebastián y del restaurador Juan IV, todos los reyes portugueses tomaron este último título. Véase lo que dice Miguel D'Antas en su magnífico libro *Les faux Don Sebastián*, pág. 20, nota: «Dans les premiers temps de la monarchie portugaise, on ne donnait au Roi que le titre de *Votre Grâce* (Vossa Merce), substitue ensuite par le titre de *Votre Seigneurie* (Vossa Senhoria) plus en rapport avec les progrés et les pretensions de la monarchie feodale. C'est ainsi

D. Sebastián, cuando hubo oído la nueva, se preparó rápidamente y ordenó partir con sus palabras acostumbradas:

—¡Via, via!

Montaron en los caballos unos, otros en las postas preparadas, y sin pérdida de tiempo emprendieron el camino del Monasterio.

A una media legua del pueblo había ordenado Felipe II que se desmontase y allanara la calzada hasta hacer una razonable plazoleta en donde aguardar a su sobrino. Allí le esperaba, sentado en su coche y rodeado de todos los nobles y caballeros de su compañía.

Cuando llegó D. Sebastián al altozano, algunos portugueses hicieron ademán de descabalgar, pero no realizaron el propósito hasta esperar a su Señor. El primero que echó pie a tierra fue D. Juan de Silva, que se dirigió presuroso hacia el coche donde estaba Felipe II y éste le abrazó con harto cariño. Cambió con él unas palabras y le dejó al observar que S. A. estaba ya caminando a unos veinte pasos.

Al frente los Reyes y detrás las comitivas, encontráronse en medio de la plazoleta. Destocados «a mucha furia se abrazaron [los Monarcas] y estuvieron así algun espacio». Apartáronse luego y entonces D. Sebastián saludó con palabras cariñosas a D. Felipe y S. M. le respondió «muy riéndose y con grandes muestras de contentamiento».

Acercóse D. Juan de Silva y dijo a su señor que los caballeros portugueses le pedían licencia por su intermedio para besarle las manos. Otorgada, llegáronse el Duque de Aveiro, el Conde de Portalegre y el de Sortella, primeramente. A estos tres saludó Felipe II quitándose el sombrero; con los demás caballeros, aunque les recibió con agradable semblante, permaneció cubierto.

---

qu'on appella en Espagne les *Rois Catholiques*, Ferdinand et Isabelle, et D. Manoel en Portugal. A ce titre succeda celui d'Altesse qui en Espagne fut bientôt remplacé par la qualification pompeuse de Majesté, importé d'Allemagne par l'Empereur Charles Quint. Les souverains de Portugal et d'Espagne continuèrent toutefois dans leurs correspondances à se traiter reciproquement d'Altessa jusqu'au moment où, dans l'entrevue de Guadalupe, Philippe II s'empressa de donner a D. Sebastian le titre de Majesté, a fin d'eviter peut-être, dit un écrivain portugais, que celui-ci, suivant la coutume, ne le traitait d'Altessa devant la cour d'Espagne. Pendat la domination espagnole en Portugal, on s'habitua à ce titre, que don Juan IV adopta définitivement à l'époque de la restauration de 1640.» Morales, *Jornada de África*, fol. 4 r.: «Tratáronse los reyes en las vistas igualmente de Magestad; hablando primero el Rey Don Felipe»; Danvila, *Don Cristóbal de Moura*, pág. 260: «Deseoso D. Felipe de honrar a su sobrino, dióle desde el primer día el tratamiento de Magestad, título no usado hasta entonces en Portugal»; Baena Parada, *Epítome...*, pág. 14: «Fué el primer Rey que en Portugal se acompañó con guarda Real, y que usó de corona cerrada; que formó Consejo de Estado, y se llamó Magestad; porque hasta él todos sus Ascendientes se trataron de Alteza, y aun los primeros de Señoría.»

Lo mismo hizo D. Sebastián con respecto a los españoles Duque de Alba, Prior de San Juan y Marqués de Aguilar. Al resto, si se trataba de títulos de Castilla, levantaba un poquito la falda del sombrero por la frente.

Terminadas las presentaciones, tomó S. M. la izquierda a S. A. y lo llevó hasta el coche. Al subir, rogáronse un poco, pero Felipe II logró continuar cediendo el puesto principal a su joven sobrino.

Entre las ceremonias reseñadas y el camino hasta Guadalupe dieron las cuatro de la tarde. A esta hora hicieron alto las postas, detuviéronse los caballeros y los Reyes, interrumpiendo su conversación, se encontraron ante la enorme y magnífica fachada del Monasterio de Santa María. Acababa la jornada viajera; iban a empezar los preliminares de otra histórica, trágica y dolorosa para Portugal.

Tarde cenizosa, oscura, decembrina; a su luz incierta alumbraban temblorosos los cirios y hachones soplados por la ventisca fría de las Villuercas. Adelantáronse los Reyes —el español a la izquierda del portugués— y a cierta distancia les seguían los caballeros emparejados según su jerarquía y valimiento: así, el viejo Duque de Alba era compañero del de Aveiro, el Prior de San Juan agasajaba al Conde de Portalegre y los demás del séquito tenían buen cuidado de corresponderse con los que ostentaban grandeza o empleo semejante al suyo, que a tanto llegó la previsión del Rey, siempre cuidadoso de guardar las lógicas etiquetas y cortesías.

Casaba el severo traje de Don Felipe con la madurez de su aspecto y edad; el de Don Sebastián —herreruelo y ropilla de herbaje forrado en felpa—, aunque sobrio y elegante, iba más a tono con su briosa juventud. Quisieron los caballeros portugueses acomodarse al uso de Castilla sin conseguir más que un divertido contraste con los españoles al mezclarse con ellos. En efecto, habían dispuesto ataviarse *a la castellana* y de tal manera acentuaron los toques y perfiles a la moda que cayeron en la exageración por lo desmesurado de sus lechuguillas, lo amplio de las botas y la enormidad del tamaño de las gorras de rizo «muy desproporcionadas de grandes, como hombres que se las ponen a deseo».

Al tiempo que se disponían los Monarcas a subir las amplias gradas, avisados los jerónimos por sus vigías, salieron entre repiques de campanas y humareda de ceras e inciensos, llevando en procesión las Santas Reliquias de la Casa. Hasta las cadenas llegaron, y allí el Prior ofreció el *Lignum Crucis* a los Reyes, justamente en el sitio en que dos días antes hiciera igual ceremonia para el de España. Hincó Don Felipe las rodillas en tierra y adoró la Cruz. Su sobrino, según testigos presenciales, disponíase a adorarla en pie y sólo cuando vio la devota acción se decidió a secundarla. Lleváronles los frailes en procesión hasta el Altar

Mayor, en donde oraron todos unos momentos; acabado el rezo, salieron del templo, llegando por el Claustro a las Salas de la Hospedería señaladas para aposento del Rey portugués. Despidióse allí el tío del sobrino y tornó a los suyos, dispensando cariñosa acogida en el camino a algunos hidalgos lusitanos deseosos de hablar al mayor rey de la tierra.

A hora prudente se ofreció la comida a D. Sebastián, de la cual apenas tomó algo. Sus caballeros cenaron aparte, tuvieron luego un buen rato de sobremesa y charla. Objeto de sus conversaciones sería sin duda alguna la impresión que les produjera la soberbia fábrica del Monasterio, con sus innumerables excelencias y copiosos tesoros artísticos, la figura pulcra, cortés y severa del Monarca español y acaso también volviera a insistirse sobre los motivos de la jornada que permanecían para la mayoría de ellos ignorados. Muchas cábalas y suposiciones se hicieron, y mientras los más avisados atisbaban las posibilidades de una alianza matrimonial o de una empresa contra el africano, los más crédulos y sencillos se decidieron por el rumor de que D. Sebastián venía a conocer personalmente a su tío y a cumplir devotas promesas. Así lo refleja Cepeda:

> ...viene para Guadalupe
> de nouenas ha tomado,

y así también debió de creerlo el pueblo guadalupense por cuanto en una información que se conserva en sus Archivos, hecha por los jerónimos en 1594, para probar que no había en España más santuario mariano bajo esa advocación que el extremeño, depone Bartolomé de Suso que años atrás: «vio este testigo estar en la dicha casa a la magestad del Rey Don Felipe nuestro Señor y al Rey dcn Sebastian, Rey de Portugal, en la cual casa y monesterio los dichos reyes tuvieron *novenas*...»

Luego de estas conversaciones, habiendo oído un buen espacio cantar a los músicos que Don Sebastián llevaba consigo, volviéronse a sus respectivos aposentos, a descansar, buscando en el nocturno silencio reposo a las emociones del viaje y del día [5].

---

[5] Todos estos detalles que damos del camino y viaje del Rey Don Sebastián no son producto de nuestra fantasía como pudiera alguien suponer: absolutamente todos constan en documentos auténticos contemporáneos que publicamos más adelante y por ello creemos innecesario clavetear estas páginas de notas; bastará acudir a los textos a que nos referimos.

8

IX

LAS CONVERSACIONES REALES

E pocas entrevistas reales poseemos unas referencias tan minuciosas y detalladas como las que los contemporáneos nos han legado sobre las celebradas en Guadalupe entre la Católica Majestad de Felipe II de España y su sobrino el Rey de Portugal.

Podemos reconstruir día por día y casi hora por hora todas las actividades de ambos Monarcas desde que se levantaban hasta que el sueño ponía remate a una laboriosa tarea diurna. Dichos y conversaciones, anécdotas y vestuario, comidas de los señores y travesuras de los pajes, han sido meticulosamente relatadas por testigos presenciales, concediéndoles una importancia acaso muy superior a la que realmente tenían.

Pero la información abarca tan sólo la periferia; termina en los límites de lo externo, dejando inviolada e intacta la médula de las entrevistas, es decir, los temas objeto de las reales conversaciones, la viva y latente inquietud por los problemas que determinaron la conjunta presencia en el Monasterio.

Tan impenetrable fue el secreto que las envolvió, tan escasos los participantes de su intimidad, que nunca asoma en los narradores, ni siquiera por indiscreción, referencia concreta a lo tratado. Parece como si los Reyes hubieran puesto empeño en rodear de hermetismo sus coloquios y sólo vivieran para lo externo, celando cuidadosamente toda rendija cordial por donde pudiera escaparse la confianza fuera de los que vivieron las jornadas memorables.

Es lamentable esta ausencia de testimonios sobre las conversaciones reales: de una parte, por los graves problemas que en ellas se plantearon y resolvieron, y de otra, porque obligan al historiador a buscar en rasgos sueltos de papeles posteriores al suceso un exponente de las conclusiones a que se llegó, teniendo que imaginar el cálido ambiente en que aquéllas se engendraron.

Documentos preciosísimos serían también estas circunstanciadas relaciones de testigos presenciales para penetrar en la complicada psicología de los dos Reyes, que indudablemente tuvo que reflejarse —serpenteando entre cordialidades y firmezas— en las charlas decembrinas guadalupeñas.

Quería Don Sebastián incendiar el espíritu de Don Felipe para arrastrarlo a la gigante y gloriosa empresa africana, y toda la inteligencia del vencedor de San Quintín tuvo que disponerse —ya que no a reducir a un obseso— en torcer sin herir, en dilatar sin apariencias de disuadir, en prometer sin plazo y en poner obstáculos, fingiendo allanarlos, a la ruina de Portugal y del Rey.

Pero si a los banquetes asistían centenares de caballeros, si al coro el numeroso grupo de los cantores y la Comunidad jerónima, si a los paseos y visitas lo más granado de ambas cortes, habiendo, por tanto, numerosos testigos de cada minucia, las reales conversaciones sólo tuvieron un confidente por parte de Felipe II: el Duque de Alba. Por la de D. Sebastián, acaso ninguno. Y no era hombre Don Fernando de Toledo capaz de contar secretos ni de ostentar confianzas.

Así, pues, hemos de renunciar al conocimiento en detalle de las entrevistas y limitarnos a señalar lo que exteriormente se supo y las consecuencias de ellas, tomándolas de rasgos sueltos perdidos en cartas y documentos generales.

Celebráronse unas en la celda del Prior del Monasterio [1], magnífico salón en el cual habíanse derrochado el lujo y la riqueza, según cuentan los cronistas, y otras en los reales aposentos. Parece ser que la primera conversación tuvo lugar el domingo 23 de Diciembre de 1576; es decir, al día siguiente de la llegada a Guadalupe de D. Sebastián, aproximadamente de cinco a siete de la tarde. Dos horas conversaron los Reyes de hombre a hombre y es de suponer que en ellas plantease Don Sebastián las cuestiones que con su tío quería resolver.

Dos eran éstas, según las había expuesto Alcaçoba en su embajada de Enero anterior: primero, el deseo de matrimoniar con una hija de Don Felipe, y segundo, la batallona cuestión de la empresa de África. Otra se entrevelaba, no declarada explícitamente: el interés del portugués por que Don Felipe le conociese y por dar muestras de su persona ante el poderoso tío. No se le ocultaba que habían llegado a sus oídos noticias

---

[1] Véanse los textos que publicamos más adelante.

harto contradictorias por lo diverso de la fuente de donde surgían, y él tenía empeño en mostrarse a los ojos de su futuro suegro tal como era en realidad, entendiendo que su trato y conversación disiparían las veladuras y deformaciones que la malicia hubiera vertido sobre su modo de ser. Acaso Felipe II creyó tarea fácil reducir las fantasías impolíticas de su sobrino mediante la exhortación y tuvo el convencimiento de que sus razones ponderadas modificasen la actitud del joven Monarca. Que no en vano tenía la autoridad de los años, la de ser el más poderoso Rey del mundo y la de haber sabido domeñar rebeldes, contener enemigos y conquistar con la política los terrenos vedados a la espada.

Por eso, estas primeras dos horas en el atardecer silencioso y calmo de Guadalupe atraen particularmente la curiosidad y el interés de quienes se asomen al tema. Fácil es el imaginarse la cálida verbosidad de Don Sebastián, su ingenua prestancia deseosa de agradar al Rey de España. No mayores dificultades ofrece la consideración ideal del cortés asentimiento, de la pulida deferencia con que Don Felipe escuchara al sobrino. Pero del alma de la entrevista, del choque espiritual, de la mutua comprensión de ambas personalidades, nada podemos ni apuntar siquiera.

Posible es que este primer contacto sirviese para que Don Sebastián reiterase sus deseos de matrimoniar con una Princesa de Castilla, y acaso Don Felipe, aceptando en principio la posibilidad, difiriese para días andados una respuesta categórica. Pero esto son conjeturas, suposiciones...

El lunes, 24 de Diciembre, tuvo lugar la segunda conversación en el cuarto del Rey de España. Habíase fijado en el plan del día que asistiesen los Reyes juntos a oir las Vísperas, Completas y Maitines y, efectivamente, a las tres de la tarde bajó Felipe II al aposento de su huésped y fueron al coro. Diferente atención prestaron al rezo los Monarcas, pues fue de notar el cuidado del anciano, «no lo fue menos el desasosiego que Su Alteza tenía porque no le rodeaba fraile que no volvía los ojos y el cuerpo a mirarle, y más se notó esto, cuando al cuarto salmo cantó un músico de su cámara [2], de que él gusta y lo hace en extremo

---

[2] Este músico de cámara de quien tanto gustaba el Rey Don Sebastián debía de ser Esteban dos Santos. En las *Coplas del gran Peña* sobre los dichos de los portugueses en Guadalupe hay una referencia que reza así:

Preguntó un fraile a un cantor
portugués muy entonado,
después de haber merendado:
—¿Tray música este señor,

bien, que entonces fue su inquietud de manera que a todos pareció que no era Rey, sino un hombre particular... y portugués».

«En diciendo el Prior la *Capítula,* Su Alteza debía de estar gastado, como ellos dicen, con la conversación de S. M., y acordó de llamar a un fraile, el que más a mano le cayó, que fue fray Pedro de Borox, y vuelve tan de propósito las espaldas a S. M. como si no estuviera allí; verdad es que lo que tenía que preguntarle eran cosas de gran peso e importancia, pues cuando menos era que cómo se llamaban los cuatro frailes que le habían salido a recibir a Madrigalejo y de dónde eran naturales, y cuánto había que tenían el hábito y otras cosas tan importantes como éstas; finalmente el descuido pasó tan adelante que dijeron todo el himno y parte de la *Magnificat...*»

La inquietud, el desasosiego, el nervosismo de que da pruebas Don Sebastián en la tarde del día 24 inclinan poderosamente nuestro ánimo hacia la sospecha de que le embargaba una preocupación y una preocupación grave que de tal modo le hacía olvidar el protocolo riguroso de la corte y del Monasterio.

Habíase establecido que terminadas las vísperas celebraran los Reyes su segunda entrevista en el aposento de Don Felipe, bajando luego nuevamente al Coro o oir *Completas,* para lo cual se había prevenido que los cantores portugueses, acompañados de vihuelas, estuvieren a un lado, mientras los castellanos, con un clavicordio, en el otro. Sorpresa notable fue que no bajasen y que la entrevista se prolongara hasta casi las nueve de la noche, hora en que dieron comienzo los Maitines.

Si la conducta de Don Sebastián fue comentada por su actitud en el Coro antes de ir a la entrevista, no menores censuras mereció a los espectadores la que observó al regresar de ella. No hay documento más expresivo que la narración de un testigo presencial: «Su Alteza continuó el desasosiego comenzado y casi no tuvo atención a ninguna cosa de las que en [los maitines] se dijeron, con haber buenos villancicos y dos representaciones [3] agradables de unos seisecicos de Plasencia.

---

como en Castilla es usado?
Respondióle el portugués:
—Esteban Santiños es
músico tan sublimado
que hasta as tellas do tellado
baxan anjos por ber qui es.

[3] Según el Padre Alcalá, en su *Historia de Guadalupe,* que se conserva manuscrita en el Archivo del Monasterio, «...esta casa trajo predicador de la Orden, Fray Juan de la Cruz, profeso de Salamanca, cantores de Toledo y Plasencia, tañedores de órgano y corneta diestrísimos que solemnizaron la Navidad del Rey divino, juntamente con la Capilla de esta Casa, muy apercebida

«De otra suerte estuvo rezando S. M. en unas *Horas* con tanta quietud y sosiego como si fuera hombre pintado y cuando se ofrecía algún villancico o representación cerraba sus *Horas* y escuchaba con mucha atención; pero Su Alteza comenzaba luego a hablar con él tan alto que

---

por su Maestro Fray Juan de la Torre, el cual hizo que se representase una comedia en el Coro ante sus Magestades».

En el libro de fallecimientos de los monjes del Monasterio que se conserva en su Archivo, en las guardas, se hallaba copiada la pieza que se representó ante el Rey Don Sebastián. Hoy, desgraciadamente, sólo se conserva una hoja suelta que trasladamos aquí tomándola de Villacampa:

> ... ...
> porque el sacro sancto parto
> pudiese ser celebrado
> y que naçiendo el infante
> fuese dellos adorado,
> imitando a los de Oriente,
> que sus tierras han dexado,
> y aunque en número son menos
> mayores son [en] estado.
>
> La virgen está gozosa
> y la visita ha açeptado;
> regocijase el Infante
> que está en el pesebre echado;
> los cortesanos del cielo
> y del suelo paz se han dado.
>
> Rompen los nubosos ayres,
> el sacro escuadron alado
> con cantares de alegria
> la tristeza han desterrado.
>
> ¡O Reyes con quien la virgen
> tanto se ha regocijado!
> Añadí a vuestras victorias
> porque sea eternizado
> aqueste sancto viaje
> que por Dios os fué inspirado
> porque llevando favor
> de la que habeis visitado
> vencereis los enemigos
> en todo el pueblo cristiano;
> restituireis en la Iglesia
> cuanto el tirano ha usurpado,
> y ansí gozareis los triunphos
> del mundo más señalados;
> y despues, subiendo al cielo
> tambien sereis coronados.—Amen.
> Año 1576.

—aunque cantaban— se oía algo de lo que decía, y de no estar él atento y estorbar que Su Magestad no estuviese, han estado los frailes tan corridos que se lo dijeron al Duque de Aveiro para que se lo afease.»

Oída la Misa del Gallo iban los frailes a comenzar el rezo de Laudes, pero Don Felipe envió recado con el Limosnero de que no empezasen hasta que ellos [los Reyes] saliesen de la Iglesia.

No todo en la conducta del Monarca portugués era debido, como un observador superficial, externo, podría suponer, a falta de interés, desconocimiento del protocolo o mala educación, no. Estamos completamente seguros de que su trastorno, su descomposición obedecía por la tarde al nervosismo propio de quien tenía minutos después que jugar una de las cartas definitivas en la vida de un pueblo.

Su inteligencia y sus confidentes le habían advertido que D. Felipe era enemigo de la empresa de África y él venía precisamente a hacerle que variase de criterio y apoyara el proyecto. Todo su crédito —y acaso el de su país— dependía del acierto con que pudiera expresarse, de la dialéctica que supiera utilizar, de las razones que acumulara para batir el ánimo de uno de los hombres más poderosos, más serenos y más hábiles del mundo. No había tratado jamás con ningún Rey y esta su primera ocasión le proporcionaba una de las tareas más difíciles de superar. Todo esto... y veintitrés años, ¿no eran razón suficiente para descomponer los nervios de quien no los tuviese de acero, para alterar el ritmo de la sangre de un hombre templado, cuanto más de quien la tenía ardorosa y arrojada?

Calculando que las Vísperas terminasen alrededor de las cuatro y sabiendo que los Reyes no bajaron al pie de las nueve para asistir a Maitines, tenemos una entrevista de cinco horas consagradas casi con certeza a exponer Don Sebastián su concepción de la empresa de África, las ventajas de una ayuda al Marroquí, la necesidad de dar la batalla a los amigos del Gran Turco, los efectivos con que contaba para ello y los elementos que esperaba de su tío para lanzarse a la gloriosa aventura.

La duración de las conversaciones nos hace suponer que hubo gran forcejeo y que Don Felipe intentó por su parte disuadir a Don Sebastián de la idea, haciéndole ver los inconvenientes que se oponían a ella, pero sin negar rotundamente el solicitado apoyo. Quizá creyó el Rey español que no era oportuno negarse en redondo a lo solicitado, negativa que, dado el carácter violento de Don Sebastián, hubiera podido interpretar como personal ofensa. Acaso limitara sus razonamientos a la exposición de dificultades, a erizar la vía que al portugués se presentaba fácil.

Tal vez pudiera esto ser causa, tanto de la extensión de la entrevista como del desasosiego de Don Sebastián.

El martes, 25, celebran una conversación a solas S. A. y el Duque de Alba. No tenemos más referencia sino que discurrió de seis a ocho de la tarde en el real aposento. Ocúrresenos como posible que el tema de la entrevista fuera una ampliación de lo tratado con D. Felipe II el día anterior; es decir, la empresa africana y las posibilidades de ayuda española.

Parece oportuno recordar aquí una anécdota recogida por los cronistas sebásticos y referente al Duque de Alba. Dicen, pues, que procuró por todos los medios disuadir a Don Sebastián, haciéndole ver los grandes contingentes africanos con los cuales habría que enfrentarse y la dificultad de una operación en terreno extraño sin posibilidades de seguro aprovisionamiento. Cercado por los razonamientos contundentes de Don Fernando, dio escape D. Sebastián a su cólera, exclamando impremeditada e injustamente:

—Duque, ¿de qué color es el miedo?

A lo que el encanecido vencedor en cien batallas respondió:

—Señor, del de la prudencia.

Seguramente apurando los límites que le imponía la lealtad subordinada.

Si como posible admitimos la primera parte de este episodio, en modo alguno parece verosímil la segunda parte de la real contestación, a creer la cual el Monarca portugués calificó al aristócrata hispano de viejo y tonto.

Muy otro era el concepto que D. Sebastián tenía de su inteligencia y valor, hasta el punto de que pocos días después de lo relatado, escribe a Felipe II desde Évora (9 de Enero): «No entiendo tiene Rey en el mundo vasallo como el Duque— ¡grande cosa es ser un hombre sabio en una cosa, mucho mayor en muchas y sin comparación en las grandes!»

Dos días transcurrieron hasta que se celebraron nuevas conversaciones entre los Reyes. A las dos de la tarde del viernes 28, postrero día de Pascua, bajó Don Felipe por una puertecilla secreta al aposento de su sobrino y estuvo con él conversando hasta obra de las cuatro. También sin testigos y sin referencia concreta de lo tratado, igual que nos sucede con la entrevista de una hora que tuvieron al día siguiente (de dos a tres).

El domingo, 30 de diciembre, a las dos de la tarde, subió Don Sebastián a la cámara de Don Felipe. No iba solo esta vez, sino que le acompañaban sus más privados caballeros: el Duque de Aveiro y los Condes de Portalegre y Sorsella. Por el Rey español asistieron a la entrevista tres grandes: el de Alba, el Prior Don Antonio y el Marqués de Aguilar. Hora y media duró la conversación y después de ella estuvieron visitando SS. MM. el Sagrario y las Reliquias de la Casa, «que gustó Su Alteza de verlas y no le ha parecido bien de Guadalupe otra cosa».

9

Tal vez en este día se dieran por terminadas las conversaciones y se expusieran por última vez —en presencia ya de los nobles— los acuerdos tomados y el fruto del trato y comunicación de tío y sobrino.

La última vez que se vieron los Reyes a solas el tiempo suficiente para poder conversar con extensión de los negocios que a ambos interesaban, fue día primero de año de 1577. «A las tres de la tarde —dice un cronista— subió Su Alteza al aposento de Su Magestad y estuvieron juntos como hasta las cinco, sin haber otra persona con ellos.»

De ahí en adelante, en las horas que quedaron de estancia en el Monasterio, no hubo ya retraimiento para conversaciones ni muestra de personas; entre rezos, comida y descanso acabó la jornada del 1. A las cinco de la mañana del día siguiente despertaba D. Felipe a Don Sebastián. A las siete oían misa. A las ocho, aproximadamente, salieron de Guadalupe y media hora después, tras un prolongado abrazo, a caballo ambos, se separaron tío y sobrino para no volver a verse vivos jamás. Don Felipe tornó a su incesante tráfago político; Don Sebastián a acelerar los preparativos de la grandiosa epopeya soñada.

* * *

Los detalles consignados en las páginas anteriores reflejan cinco conversaciones habidas entre los dos Monarcas, sin testigos, en total doce horas, con los espacios de tiempo necesarios para reposar la mente y ordenar el combate de las propias ideas y puntos de vista con los ajenos, amén de una detenida entrevista del portugués con el Duque de Alba.

Hemos de volver sobre lo que ya indicamos con anterioridad: los cronistas de la jornada solamente nos manifiestan el dato externo y cronológico, sin entrar para nada en lo tratado. Y ¡cuán útil hubiera sido que una indiscreta pluma alzase el velo que encubre las regias conversaciones!

Una revisión de los historiadores sebásticos nos permite conocer el alcance de lo tratado, la cuantía de las ofertas hechas por Felipe II a su sobrino y aun las limitaciones que las circunstancias imponían a la prometida ayuda.

Queiroz Veloso —el admirable maestro a quien tantas veces hemos aludido en estas páginas— resume así [4] lo pactado: «Prometióle [Don Felipe], en caso de que los turcos no amenazasen sus dominios de Italia, concurrir con cincuenta galeras y cinco mil hombres a la expedición,

[4] *Op. cit.*, págs. 232-233. Pueden verse también en el *Don Cristóbal de Moura*, de Danvila, pág. 262.

pagados por su cuenta; y autorizarle asimismo para suministrarse en España del trigo, armas y municiones que le fuesen necesarios.

Las condiciones, que Don Sebastián aceptó alegremente, porque todo lo respectivo a la guerra de África le parecía sencillo y fácil, diríanse concertadas para excusar el cumplimiento de la promesa. En primer lugar, la expedición debía efectuarse en Agosto siguiente, es decir, dentro del plazo de ocho meses, lo cual sería casi imposible por la atribulada situación del tesoro y la penuria de aprestos militares.

En segundo lugar, el cuerpo de Ejército organizado por el sobrino, habría de componerse, al menos, de 15.000 hombres, la mitad portugueses y el resto italianos y alemanes, sin exceder de seis mil los primeros y dos mil los últimos. Fue el Duque de Alba quien exigió los contingentes extranjeros. Los portugueses peleaban heroicamente en África y en la India, en asalto o defensa de ciudades y plazas fuertes. Nadie les excedía en tales combates; pero hacía un siglo que no batallaban en campo abierto.

Los moros, tras la unificación política de Marruecos, conocían el manejo de todas las armas y, manteniendo la táctica especial de su caballería, habían sido iniciados en todos los movimientos de la guerra moderna, por instructores cristianos, contratados entre los renegados. La bravura no bastaba; era indispensable quien tuviese práctica, veteranos procedentes de otras campañas para servir de apoyo a los soldados bisoños.»

Pero si éstas eran las ofertas, las realidades no llegaron a nivelarlas en modo alguno. De una parte, porque Don Felipe entendía que su obligación era obstaculizar la jornada para evitar la pérdida del Rey; de otra, porque la conducta de Don Sebastián, completamente irregular, le llevó a realizar actos que contrariaron en gran manera al Monarca español: a pesar de los acuerdos recientes y de lo hablado sobre el matrimonio con Princesa española, el portugués envía embajadores a negociar su casamiento con la hija del Gran Duque de Toscana, siempre que éste le proporcionase 300.000 cruzados, y destaca a Nuño Alvarez Pereira con objeto de que compre explosivos a los rebeldes de Flandes [5].

La imprevisión y el impulso obcecado de Don Sebastián hicieron que la preparación del ejército fuera desproporcionada, inarmónica y atropellada. Felipe II, al ver que no sólo no se seguían sus consejos, sino que se los menospreciaba, prohibió la salida de voluntarios de España y llegó a encarcelar a los capitanes que reclutaban gente por tierras del Sur [6].

---

[5] Queiroz, *op. cit.*, págs. 272 y sigts.
[6] Ibid, pág. 276.

68

Tan sólo autorizó la compra de algunos pertrechos necesarios para la guerra: 500 quintales de pólvora, coseletes y otras armas, habas, garbanzos, arroz, cuerda de arcabuz, espuertas y alpargatas [7].

No nos corresponde extendernos sobre el detalle de las consecuencias de la entrevista de Guadalupe: cae ya fuera de nuestro terreno, limitado justamente a la motivación, viaje y aparato externo de ellas.

Pero como entendemos que en una de las conversaciones guadalupeñas se forjó la idea del presupuesto de la jornada, y como este magnífico documento de la Administración militar ha permanecido sin incorporarse a los estudios sebásticos, lo dimos a conocer hace años a los lectores, tomándolo de un manuscrito existente en la Biblioteca de la Academia de la Historia, *Colección de Salazar*, letra K, núm. 61, fols. 20-41, copiado de buena letra del siglo XVI [8].

* * *

Una advertencia antes de terminar: ni sebastofobia ni sebastofilia nos han movido a trazar las precedentes páginas, en las que no creemos —ni mucho menos— haber agotado el tema. Solamente un deseo de dar a conocer, reunidos por vez primera, el conjunto de los historiadores particulares que relataron en castellano el paso por España de Don Sebastián y lo acaecido en Guadalupe. Ni fobia ni filia, volvemos a repetir. Sólo nos arranca la figura de Don Sebastián —a través de prosa y verso a veces desfavorables— un recuerdo perfumado de tristeza, una melancólica y espiritual adhesión a su noble empeño, un vivo destello de simpatía a quien supo erigir en norma de vida ideales altamente sentidos y un dejo de compasión afectuosa por quien abandonó el mundo, luchando por una bella quimera, con la poética frase del Ariosto en los labios:

Un bel morir, tutta una vita onora...

---

[7] Danvila, *op. cit.*, pág. 272.
[8] Una copia de este *Presupuesto* se halla (o se hallaba) en la *Colección de Belda*, ignorando nosotros su paradero actual. Lo publicamos en la *Revista de estudios extremeños*, Badajoz, 1947, tomo III.

X

CRONISTAS CASTELLANOS, TESTIGOS PRESENCIALES

*Quæque ipse miserrimo vidi et
quorum pars magna fui... Virg.*

ÆNEIDOS, II.

EMOS indicado quiénes eran los protagonistas del hecho histórico, qué relaciones tenían, cuál era su orientación. Después vimos un poco del concepto que de la figura de D. Sebastián y de la del Monarca español Felipe II puede formarse en presencia de las fuentes documentales existentes. Queremos, por último, exponer con brevedad en las restantes líneas quiénes han sido los historiadores que han dedicado sus crónicas al estudio de la entrevista guadalupense.

Dejando a un lado a los biógrafos de D. Sebastián que sólo toman este acontecimiento como motivo para ᵃalgunas páginas, generalmente escasas, de su obra total, y entre los que cabe considerar a Barbosa Machado, Amador Rebelo, Manoel dos Santos, Bernardo da Cruz, São Mamede, Meneses, Figueiredo, Baena, San Román, etcétera, resumamos en un índice los que con exclusividad se han ocupado de referirnos el viaje.

Consideremos en primer lugar al Doctor Don Juan de San Clemente, Canónigo entonces de la S. I. C. de Badajoz y testigo presencial del suceso que relata. Un biógrafo anónimo [1] nos dice de él:

---

[1] Biblioteca de la Academia de la Historia, *Colección Salazar*. Tomo 76, fol. 235.

«El doctor Juan de Sant Clemente de torquemada natural de Cordoba, entro en el collegio de santa Cruz de Valladolid a 13 de Ottubre de 1563; leyo un curso de artes y despues la cathedra de propiedad de prima de philosophia. Salió del Collegio al sexto año por canonigo de Badajoz; el año de 78 fue obispo de Orense y el de 86 arçobispo de Sanctiago. Deseó fundar vn collegio de oyentes en Valladolid y para comprar sitio estubo el dinero en poder del doctor Juan de Campo redondo, Cathedratico de Prima de Leyes (que tanbien auia sido Collegial de santa Cruz) pero el Collegio hiço mucha fuerça con él para que no fundase collegio, sino que aquel dinero fuese para que su renta sustentase el collegio porcionistas, alegando que los collegiales votarian contra el collegio en las prouisiones de las cathedras, lo que no harian los porcionistas porque los podian despedir, trayendo a consequencia que por semejantes consideraciones en Salamanca el Collegio mayor de sant bartolome, en 4 de março de 1563, acordo el despoblar su collegio menor de sant Pedro y sant Pablo que en la Vniuersidad llamaban de micis y hecharon dél los collegiales; con lo qual el Arçobispo Sant Clemente dió a su Collegio ocho mill ducados para que, puestos a censo los réditos, diese el Collegio a estudiantes pobres. Dió mas al Collegio 800 ducados para que se pusiesen a censo y sus reditos se distribuyesen entre los colegiales que se hallasen presentes a vna misa que cada año se dice por su alma en la capilla del collegio; Dixome el sr. Doctor Sancta cruz que auia dado tanbien el dicho arçobispo a la vniuersidad trecientos ducados para la obra que hiço quando abrio la puerta del General de Theologia hacia el patio mayor. Era el Doctor Sant Clemente hijo de médico, y lo era también Ambrosio de Morales, y los dos eran parientes cercanos.»

Justamente a Ambrosio de Morales está dirigida la carta que nos interesa, en la cual narra el paso por Badajoz del infortunado Don Sebastián. Tersura de estilo, añeja y limpia prosodia castellana, rigurosa exactitud histórica, hacen de esta relación una pieza digna de leerse, no sólo por lo atingente al tema del presente trabajo, sino también como pieza literaria [2].

Se imprimió en el siglo XVIII en el libro *Noticias históricas sacadas del Archivo de Uclés*, tomo II, Madrid, Benito Cano, 1793, págs. 108-

---

[2] Sobre San Clemente, cfr. las historias eclesiásticas gallegas y la del Obispado de Badajoz, escrita por D. Juan Solano de Figueroa. San Clemente mandó enterrar a su madre en la Catedral de Badajoz, «entre los dos coros», colocando una lápida de mármol, esculpida por el entallador Hans de Bruxelles, famoso maestro que trabajó sesenta años en la ciudad, según contrato formalizado en Badajoz a 2 de Mayo de 1591.

115. Fragmentariamente ha sido reimpresa por Antonio Cuéllar en su artículo *Notas sobre el Rey Don Sebastián*, inserto en la *Revista del Centro de Estudios Extremeños*, tomo II, 1928.

Nuestra edición va ajustada escrupulosamente al manuscrito original [3] que tenemos la fortuna de poseer.

* * *

Investigando con fines totalmente distintos en la *Colección Salazar* de la Academia de la Historia, en la serie de volúmenes que lleva la letra N, tomo IV, dimos con un manuscrito lleno de tachaduras y enmiendas, de borrones y entrelineados, cuyo texto llamó poderosamente nuestra atención y fue leído cuidadosamente. Era una relación de la estancia de D. Sebastián en Guadalupe, tan lleno de interés y de datos nuevos que inmediatamente formamos el propósito de darlo a la estampa.

Preciso era antes investigar a ver si por ventura ya estaba impresa o si era citada por los bigliógrafos. Únicamente D. Jenaro de Alenda y Mira [4] trataba de esta *Relación* y hacía resaltar su valor, puesto que es dudoso que Bartolomé José Gallardo la hubiese conocido *de visu*, aunque la citó en una de las innumerables cédulas de su magnífico *Ensayo*. Pero he aquí que la signatura dada por Alenda no correspondía con la nuestra en manera alguna. Y verificando su cita, pudimos hallar una copia —que es a la que hacía referencia— en el tomo XLIV de la misma letra N.

Teníamos, pues, ya el borrador y la copia del trabajo. Sólo nos faltaba ver si había sido deliberadamente aprovechado por algún afortunado investigador. Lo infructuoso de nuestra detenida búsqueda nos ha hecho ver que si bien una copia del texto había sido impresa en una corta tirada de la *Sociedad de Bibliófilos Españoles* [5], el documento podía considerarse inédito, tanto por no haber tenido casi circulación,

---

[3] Biblioteca del autor: en folio, autógrafas, cuatro hojas.

[4] Jenaro Alenda y Mira: *Relaciones de las solemnidades y fiestas públicas en España*, Madrid, Rivadeneyra, 1903, tomo I (único publicado).

[5] Fue impresa en el tomo de *Relaciones históricas de los siglos XVI y XVII*, dado a luz por la *Sociedad de Bibliófilos Españoles* en el año 1896. Valiéronse de una copia que poseía el Sr. Belda, inferior, desde luego, a los textos hallados por nosotros. Cuidó de la edición, aunque otra cosa diga la portada, nuestro querido y admirado amigo el erudito investigador D. Manuel Serrano y Sanz *.

* ¡Qué lejano estaba yo, al escribir las líneas anteriores, de sospechar que cuando se imprimieran habría desaparecido de entre nosotros el inolvidable amigo y eruditísimo investigador!

como por no haber llegado a incorporarse a los modernos estudios sebásticos, a excepción hecha de algunos doctos españoles.

El bibliógrafo Barrantes y Moreno, en el *Aparato Bibliográfico para la Historia de Extremadura*, dice que D. Juan Ferro Caveiro, coleccionista y amigo del autor, le ha proporcionado una noticia, cuya procedencia ignora, y copia. Esta noticia no es ni más ni menos que un apunte del pasaje que se refiere al presente ofrecido por los monjes al Rey Don Sebastián, contenido en nuestra relación. Esto nos hace sospechar que el Sr. Ferro Caveiro poseyese alguna copia del texto que publicamos, el cual no llegó íntegro a manos del diligente Barrantes y Moreno.

El Sr. Villacampa, en su libro *Grandezas de Guadalupe* [6], afirma, refiriéndose al mismo Barrantes, que este presente fue ofrecido a Felipe II. No sabemos de dónde toma esta noticia que carece en absoluto de fundamento. El citado escritor copia al final del libro de difuntos, a que hemos hecho referencia en otro lugar, el aguinaldo que se hizo al Rey Don Sebastián y que consistía, según Villacampa, en «Pan, 6 canastas, carneros, 8, cabritos, 12, venados 3, una gama viva, jabalíes 2, gallinas 50, capones 12, gallipavos 4, conejos 50, perdices 100, de confitura 37 libras, calabazate cándido y por candir 50 libras, turron 25 libras, mazapanes 50, suplicaciones seis tabaques, de diversidad de conservas, cantidad; frutas de sartén 3 fuentes, camuesas dos arrobas».

El fragmento en que se refiere a la donación de aceite para la farola de Lepanto también aparece copiado en el papel cedido por Ferro Caveiro al bigliógrafo Barrantes, al cual hemos aludido en líneas anteriores.

La identidad no puede ser casual. Indudablemente el Sr. Ferro Caveiro poseyó esta relación, que no se atrevió a publicar tal vez por lo mal parados que salen los portugueses y D. Sebastián en ella. Acaso en su texto constase el nombre del autor, y de desear sería que se investigase para ver si aún se conserva entre los papeles del bibliófilo portugués.

Salvo esta mención aislada, creemos poder asegurar que nadie más habla de ella hasta que se publica por la *Sociedad de Bibliófilos*.

El título —todo lo que no sea texto, es de otra mano— dice así: *las vistas del rey de portugal / y el de castilla en nuestra señora de gua / dalupe, año 1574* [sic] *noviem / bre y deziembre.* Una nota en el margen superior izquierdo del primer folio, aclara: *estas uistas eran para tratar de / la jornada que quería el Rey don Sebastian hazer en africa contra el xarife y el Rey don phelipe de castilla procuro estor-*

6 Madrid, 1924, pág. 329.

barsela y no pudo, el la hizo y murio en ella y los Reynos quedaron en trabajo de quien los ha de heredar.

El manuscrito consta de dieciocho hojas en papel de hilo, de letra clara del siglo XVI, correspondiente a la fecha del suceso [7]. Carece de nombre de autor y únicamente podemos entresacar algún detalle por conjeturas.

Testigo presencial el autor, merece entero crédito en sus aseveraciones, y más teniendo en cuenta que no era obra destinada a imprimirse, sino únicamente información hecha a un caballero toledano, para que conociese los pormenores de la entrevista. El estilo es llano, jugoso, correcto, de hombre avezado a escribir con soltura e ingenio, haciendo la narración amena e interesante, tanto por el hábil manejo de la palabra, cuanto por las anécdotas y donaires con que salpica el contenido. Por ser el documento más completo, veraz y detallado de cuantos se conservan, no dudamos en asegurar que haya que seguirle como fuente principal en determinados, ulteriores trabajos sebásticos.

En realidad, puede decirse que son muy escasos los datos que tenemos para juzgar sobre la persona del autor de esta verdadera relación. Únicamente los que al caer de la pluma se le han deslizado en el transcurso de la narración, son los que han llegado a nosotros. Ni el nombre siquiera sabemos de quien minuciosamente se preocupó de dejar escrita la vista de los reyes de España y Portugal.

Por conjeturas, por suposiciones fundadas en las propias líneas que traza el autor, podemos acusar algunos perfiles biográficos de éste, siempre, naturalmente, con la incertidumbre que ofrece la duda en la fortuna interpretativa. Veamos, pues:

En la *Historia de Nuestra Señora de Guadalupe* que, al decir del P. Carlos G. Villacampa, se conserva manuscrita en el Archivo del mismo Monasterio, obra del P. Alcalá, hay un párrafo que trasladado a la letra dice así: «[Con motivo de las vistas] esta casa trajo predicador de la Orden, fr. Joan de la Cruz, profeso de Salamanca; cantores de Toledo y Plasencia, tañedores de Organo y corneta, diestrísimos, que solemnizaron la navidad del Rey divino, juntamente con la capilla de esta casa, muy apercebida por su maestro Fr. Juan de la Torre, el cual

---

[7] He aquí los ejemplares que conocemos de la *Relación del Músico Toledano*:

a) Borrador original, con tachaduras y enmiendas *(Salazar, N-4).*
b) Copia en limpio, de la misma letra, que sirve de base para nuestra edición *(Salazar, N-44).*
c) Copia del siglo XVII *(Salazar, M-26, fols. 121-136 vto.).*
d) Copia de la *Colección Belda,* reimpresa por la *Sociedad de Bibliófilos Españoles.*

hizo que se representase una comedia en el coro, ante sus magestades.»

Hemos transcrito este fragmento porque él, a nuestro entender, es el que ha de darnos base firme para el desarrollo de las opiniones y sospechas anteriormente apuntadas. No parece verosímil que el anónimo fuera fraile de Guadalupe, por cuanto en varias ocasiones se refiere al Monasterio, a sus frailes y a la Orden, sin que jamás se le escape un rasgo por donde pudiese caber la duda. Siempre habla distancialmente de los jerónimos guadalupenses.

Ante todo hay que dejar sentado que llegó al Monasterio antes que los Reyes estuvieran allí, puesto que al describir el aposento de Don Sebastián dice, para justificarse, que comienza por lo primero que él vio. Y al no ser del Monasterio, se nos ofrecen dos posibilidades de procedencia exterior: que viniese con los Reyes o que fuera uno de los artistas mandados traer desde Plasencia y Toledo por la santa casa. Basta pasar los ojos por las páginas de la *Relación*, para convencerse de que no era portugués, ni había venido con Don Sebastián, puesto que, como dice, para escribir las jornadas de éste tuvo que acudir a los testigos presenciales. Tampoco con Don Felipe, pues al enumerar los caballeros que le acompañaban no se incluye entre ellos, ni deja la menor señal de pertenecer a su compañía. Tiene, por tanto, que estar incluído entre los artistas placentinos y toledanos.

Ningún testimonio hay para sospechar que fuese de los primeros y sí existen abundantemente de que era de los segundos. Téngase presente que su *Relación* está dirigida a un señor, el cual le mandó que «*encomendase* a la memoria las cosas más notables que se ofreciesen en esta jornada», cosa que el autor no se atrevió a hacer y, en su lugar, «he dado en otro inconveniente mayor, que es poner a v. v. en las manos cosa escrita de las mías, que por ir en tan ruin orden y estilo le ofenderá más que por ventura le ofendiera si en algunos ratos de los pocos que v. m. tiene desocupados se lo refiriera de palabra, mas temí de no poderlo percebir todo, así por la grandeza y multitud de lo que ha pasado, como porque contándoselo a v. m. con el respeto que se le debe, pudiera ser olvidado algo».

Ahora bien, este señor a quien tanta reverencia debiera el autor y con quien podía conversar —lo cual puede ser indicio de que vivían en el mismo sitio— después de realizadas las vistas, en ¿dónde residía? ¿cuáles eran sus circunstancias? De un detalle podemos inferir, sin temor a equivocarnos, que en Toledo. En efecto, véase el párrafo siguiente, que sugerirá en el lector nuestra convicción y su fundamento:

«Díxome D. Diego de Cordoua, hablando este día con él sobre la junta de S. M. [Felipe II] y S. A. [Don Sebastián], que supiese que no se había de llamar así [S. A.] sino S. M., y que el Rey se lo había llamado y mandado a todos los de su casa que lo hiciesen así, y no se ha ejercido punto de esto, aunque yo en lo que escribiere se lo llamaré, por no variar lo que tengo escrito y porque el decírselo aquí fué de emprestado, y en Toledo sería llamársele muy a trasmano.»

Evidencia, pues, con esta indicación que su residencia era Toledo, acaso sirviendo al mismo señor a quien escribe, como capellán y como tañedor en su capilla. Como capellán, porque así lo dice implícitamente al hablar de las sobrepellices usadas por los portugueses: «Noté también que tomaron sobrepellices un tesorero que S. A. trae, y un capellan suyo, de muy diferente manera que *las que nosotros usamos*, pero no me parecieron mal, porque son muy honrosas y no de mala hechura.»

A la profesión de capellán unía la de músico, y no la de cantor. Ni una sola vez de las que escribe de sí se refiere a esta especialidad. Sin embargo, cuando, por ejemplo, nos cuenta lo entretenido que solía estar en el coro el Rey Don Sebastián, dice: «Mientras esto pasaba, oía vísperas S. M. en su oratorio, hincado de rodillas, y dígolo así, porque subiendo al órgano hablé con el Conde de Buendía y preguntándole por él, me respondió lo que he dicho.» En otra ocasión, hablando de asistencia de los Reyes a Completas, apunta: «estaba concertado que las habían de oir y D. Luis Manrique me lo había dicho así, y para ellas teníamos gran música de sus Cantores con vihuelas en un coro y nosotros con clavicordio en otro, mas todo se quedó [aparejado] y no cantamos nada, como los reyes se fueron».

Pero de donde de una manera clara se desprende que era músico, es de la propia explícita declaración que hace al referirse al presente ofrecido por la Comunidad a Don Sebastián, en donde, apuntando un olvido, escribe: «y habíanseme olvidado seis cueros de vino de Cibdad Real, que les costó la arroba a veinte y seis reales, y este descuido no me lo eche v. m. como a músico, sino téngame por disculpado como a quien bebe agua».

No nos ha sido posible obtener mayor fruto autobiográfico de la *Relación*. Otro investigador más sagaz o más experimentado, lea en ella lo que nosotros no hemos podido descubrir. Al reproducirla conservamos la ortografía original del manuscrito, ajustándonos al texto último y no al borrador, aunque entre ambos hay levísimas diferencias. Desdoblamos las abreviaturas sin indicarlo, porque todas ellas se refieren a las más corrientes y fácilmente legibles.

* * *

Otra relación en prosa se nos ha conservado, contemporánea a las vistas guadalupenses, con el título *Recivimiento que el Rey nuestro señor hizo al de Portugal en Guadalupe*.

76

Este curioso manuscrito, probablemente copia de un original perdido hoy, se conserva en la Bibliothèque Nationale de París, signatura: *Fond. Espag. MSS. 421*, fol. *85 v.-92 v.* Ha sido reseñado por el docto bibliógrafo Mr. Alfred Morèl-Fatio en su *Catalogue des MSS. Espagnols et portugais de la Bibliothèque Nationale de Paris,* París, 1892, el cual lo había impreso anteriormente como *Apéndice* a las *Cartas de D. Juan de Austria* insertas en su excelente libro *L'Espagne aux* XVe *et* XVIIe *siècles* [8].

Aunque anónimo, de su contexto se desprende que es obra de uno de los caballeros que se hallaron presentes a las vistas. Merece crédito, a pesar de que se trata de una infernal copia del siglo XVIII, hecha quizá por amanuense francés, en la que los nombres propios están transcritos con una absurda ortografía, v. gr., *Don Barcozentino* por D. Vasco Coutinho. El P. Villacampa en su libro *Grandezas de Guadalupe* (Madrid, 1925) dice que es el más importante documento que tenemos sobre las vistas; en realidad es útil, pero no completo, ni muy detallado.

Consignemos aquí nuestra sospecha de que lo hoy conocido sea tan sólo un extracto de correspondencia escrita desde el Monasterio. De diversos pasajes parece desprenderse que se trata de una refundición de cuatro cartas, escrita la primera en 10 de Diciembre de 1576 («Su Magestad llegó aquí oy juebes...»), la segunda, el 22 del mismo mes y año («Yo e dejado de hacer esto antes de aora, esperando la venida del Rey de Portugal, el qual ha llegado aquí *esta* tarde... de lo que adelante passare abisaré a Vm.»); la tercera, del 25 («De su llegada... abisaré a Vm. como me manda por su carta que lo haga»), y la cuarta, del 26 («Ya escribí a Vm. el recibimiento...»). Destinatario y agente son ignorados.

* * *

Don Vicente Barrantes y Moreno adquirió, por donativo del bibliófilo portugués Sr. Ferro Caveiro, un pliego manuscrito de letra del siglo XVI con el título de: *Coplas del gran Peña sobre algunos dichos de los portugueses en Guadalupe.* Son treinta quintillas en castellano, glosando irónicamente algunos de los dichos y exageraciones de los caballeros que venían con Don Sebastián. Su valor histórico parece ser real, porque algunas de estas anécdotas están recogidas por otros cronistas.

Estas *Coplas*, de cuyo autor nada sabemos, han sido publicadas dos

---

[8] Heilbronn, 1878, págs. 141-144.

veces por el laborioso Barrantes: una, en el *Aparato Bibliográfico* [9], y otra, en el volumen titulado *Virgen y Mártir* [10].

* * *

El último de los testimonios que publicamos es el curioso pliego suelto en el cual Cepeda narra en romances el paso por Badajoz del Rey Don Sebastián. Suponemos que pueda identificarse a este escritor con un poeta de Badajoz llamado Joaquín [Romero] de Cepeda, autor, entre otras obras, de un volumen antológico publicado en Sevilla, 1582; de la *Conserva Espiritual*, Medina del Campo, 1588; la *Destruición de Troya*, Toledo, 1590, y las comedias *Salvaje* y *Metamorfosea* [11].

Los romances de Cepeda son francamente malos como obra literaria. En relación con las vistas, aportan algún dato interesante, aunque no muy seguro en lo que se refiere a lo sucedido fuera de Badajoz.

Los villancicos que acompañan al texto quizá sean los que se cantaron en la Catedral de Badajoz en presencia del Rey Don Sebastián.

* * *

Los hasta aquí apuntados son los escritores castellanos que se ocupan exclusivamente de las vistas de Guadalupe. Ya indicamos que quedan al margen de nuestras investigaciones aquellos otros que se refirieron al suceso ocasionalmente y englobándolo con la historia de su tiempo. Honrosa mención merecerían, si aquí hubiéramos de ocuparnos de ellos, los escritores portugueses.

---

[9] *Aparato Bibliográfico para la Historia de Extremadura, por D. Vicente Barrantes.* Madrid, 1875. En las págs. 246 y siguientes del tomo II publica, por primera vez, las *Coplas del gran Peña.*

[10] *Virgen y Mártir* / [adornito] / *Ntra. Sra. de Guadalupe* / [adornito] / *Recuerdos y añoranzas* / [adornito] / *Badajoz.-1895.*

8.º VIII + 552 págs.

Publica en las págs. 287 a 291 las *Coplas* de Peña. Dice lo siguiente: «Sobre [el]... viaje [de D. Sebastián a Guadalupe] poseo yo [un papel] curioso, y completamente desconocido. Son versos de un coplero de Guadalupe, muy popular por lo visto en el siglo XVI, burlándose de los portugueses que formaban la corte de D. Sebastián.» Y más adelante añade: «Confieso que de este Peña no tenía la menor noticia hasta hoy. Aunque poeta ramplón, no deja de ser gracioso.»

[11] Para todo lo referente al autor, cfr. A. Rodríguez-Moñino: *Joaquín Romero de Cepeda, poeta extremeño del siglo dieciséis (1577-1590),* estudio bibliográfico. Badajoz, 1941, 4.º, 32 págs. con 3 láms.

No queremos cerrar este capítulo sin apuntar la indicación de dos manuscritos, posiblemente copias de la *Relación* del músico toledano, existente el primero en Roma y perdido, por desgracia, el segundo.

El primero, con el título *Recibimiento en Guadalupe de S. M. y el Rey de Portugal*, se conserva en la Biblioteca Apostólica Vaticana [12], signatura 1.045, folio 211, y figura descrito en el libro *Bibliotheca Apostolica Vaticana, códices manuscripti recensiti*, Romae, 1921, tomo III, página 58.

Titúlase el segundo *Entrada del Rey D. Sebastián en Castilla* y existía en la Biblioteca de El Escorial. Estaba incluído en el volumen de varios que llevaba la signatura iv-0-9. Aparece citado en el *Índice de los manuscritos castellanos que se guardaban en la biblioteca por los años de 1600*, con algunas adiciones posteriores. Este tomo está hoy en dicha librería, signatura H. I. 5., y ha sido publicado por D. Julián del Zarco Cuevas como *Apéndice XV* al tomo III del *Catálogo de los manuscritos de la Real Biblioteca del Escorial (San Lorenzo del Escorial, 1930)*. Se supone que la *Relación de la entrada de D. Sebastián en Castilla* ha debido desaparecer en el incendio de 1671, o tal vez posteriormente.

---

[12] En la misma Biblioteca, sign.ª 1.619, fol. 48 *(Catálogo, III, 503)*, hay otro tratadito referente a D. Sebastián con el siguiente título: *De Sebastiano, ultimo rege Lusitaniae*.

APENDICES DOCUMENTALES

I

[CARTA DEL DOCTOR JUAN DE SAN CLEMENTE]

Muy magnífico y muy
Reverendo señor myo

N este punto acabo de recebir la carta de V. M. de .29. del passado, y antes hauía reçebido la de viijº de Diziembre, y con ella los pliegos de la Impressión tocante al Santo Príncipe Sant Ermenegildo, cosa que me consoló grandíssimamente. Y porque este buen hombre no se detenga por mí mañana, aunque es noche, responderé luego a ambas las cartas de V. M.

Bendito sea nuestro señor que aunque visita a .V. M. casi cada año con essa Indisposición de Romadizo con essa calenturilla, pero luego le libra della, y sobre esso le tiene ya hecho médico dándole medicina con que salga della, y gracia para que la tome: que algunos ay que aunque saben las virtudes de la yerua de la dieta, no por esso se applican a approuecharse della.

Beso las manos a V. M. por la merced que me hizo tan particular en quererse poner a leer los borrones de mi sermón, y embiarme sobre él estos scholios, que los estimo yo en todo lo possible, y procuraré seguir lo que V. M. en ellos apprueua, y emmedar lo que tan justamente en ellos me haze merced de corregir.

Cayóme mucho en gusto el significarme .V. M. que començasse, de los libros que me embió, por la lectura de Philon: pues me dize, que si lo començare a leer (entiende) que no lo dexaré de las manos hasta verlo todo. Porque, aunque de los demás (ví) alguna cosa, pero en effecto a Philon començé, y haurá como ocho días que lo acabé. Del qual aunque ay mucho que loar, para todo género de hombres que se quisieren approvechar, pero singularmente me contentaron los tres libros: Quod omnis probus, liber. De contemplatione. De legatione ad cairun.

Que se haya dilatado la Impressión de la 2.ª parte de vna pascua a otra, no me espanto, porque la distancia no es mucha y la grandeza de la obra lo suffre. Paréçeme que me embíe V. M. vna dozena de cuerpos de la 2.ª parte, y otra dozena de las Antigüedades. Todos enquadernados, por la razón que V. M. sabe, de no hauer aquí official que enquaderne.

Mi hermana está buena, loado nuestro señor. Túuela fatigada dos o tres días de la pascua passada, de achaque de Yjada, plugo a Dios que con los remedios ordinarios estuuo buena. Ella besa las manos a V. E. muchas vezes, y dize como maestra en su arte, que los seys solomos, que dos o tres días antes que se hayan de comer los mande V. M. echar en adobo, sin vinagre ninguno, porque en esto lleuan su menestra necessaria y con esto estarán buenos y los dos perniles, que sólo V. M. los coma. Porque a dicho de los Burgomaestres de la República de Vellota, fué muy loado por bueno entre muchos el de quatro pies de donde se vuieron.

Lleua el portador dos perniles, seys solomos, (que pensamos llegarán allá para la de Nauidad) las dos dozenas de Churiços, y vna serilla de çiruelas passas, para que supla la falta de los higos, que otro año plaziendo a Dios se emmendará, pues V. M. no les halla la tacha que acá mi hermana les puso, por donde no van ogaño.

En lo tocante a la primera carta de viij° de Diziembre, me pareze que al presente no vengan tomos de la primera parte de la historia hasta que venidos los que he dicho de la 2.ª veamos si piden los vnos y los otros, y viendo yo coyuntura, acusaré dello.

El quaderno de la 2.ª parte que V. M. me embió me alegró muy mucho, y ansí mesmo se alegró con él grandemente el señor Don Christoual. Después reçebí vna carta de Euora de vn padre de la Compañía, el Dor. Pedro Paulo Ferrer, Cathedrático allí de Theología, y me ruega mucho supplique a V. M. se dé priessa en su obra porque no quedasse lo scripto Imperfecto, y por consolalle le respondí y le embié el mesmo quaderno, aunque no he tenido certidumbre del reçibo.

Lo tocante al recibimiento del sereníssimo de Portugal a la entrada en Castilla, y en espeçial en esta çibdad, fué todo muy bien concertado y sin pesadumbre de ninguna de las partes, y con grande contentamiento de todos. De la mayor parte dello fuy testigo de vista, y lo demás que diré sin hauerlo visto, fué notorio a todos los que aquí se hallaron.

No quiero contar a V. M. los muchos requerimientos que le hizieron al Rey de parte de sus pueblos y en nombre del Reyno para que no entrasse en Castilla, ny saliesse de su tierra, temiendo como vulgo, donde no hauía que temer, o pareciéndoles que era menoscabo de su Rey entrar en Castilla con menos que con todo el oro de la India, y con vn spectáculo de más que hombre porque desto, aun el mesmo su Rey, se entiende se reya entonces, (digo de los requerimientos), y a los castillanos de la raya, no se les cayó tan presto la risa dello.

Salió el Rey Don Sebastián de su çibdad de Yelues que es tres leguas de aquí, el Martes xviijº de Diziembre día de la Expectación del parto después de haber oído missa y comido. Vino hasta la raya, que es el río caya por estas comarcas y hauiendo llegado a la puente y venido hasta allí a su passo ordinario de cauallo, tomó allí vna posta. Está aquella puente de esta cibdad vna legua. Corrió con la posta como tres quartos de la legua. Allí llegó el Reverendísimo señor nuestro obispo y el Cabildo de la yglesia Cathedral a cauallo. El Rey quando vió la gente como a distancia de vn tiro de vallesta detúuosse quedo, y la gente que le acompañaua a cauallo desuiáronse del Rey, para que sin ser necesario que nadie le demostrasse con el dedo, conociéssemos qual era el Rey. Apeósse el obispo y Cabildo y llegó su señoría rodeado de su Capítulo, y con vn breue y muy agradable razonamiento le dió el parabién de su venida. El Rey mostró muy buena gracia quando oya al señor obispo, y luego con pocas palabras y rostro muy alegre aggradeció el seruicio que se le hazía y offrecía, y al despedirse el señor obispo y Cabildo, alçó el Rey el ala del sombrero, por la parte de la frente, abaxando vn poquito la cabeça en señal de cortesía.

Acabado esto el Rey se estuuo quedo, que parece quiso esperar a que el señor obispo y los Ecclesiásticos tomassen sus mulas, y a su passo se boluiessen a su yglesia, donde, desde a poco en otro hábito le hauía de reçebir.

Buelto el obispo y su Cabildo ya quando llegáuamos çerca de la puente del Guadiana, que bate con los muros de Badajoz, como a doszientos passos salían los caualleros de la çibdad con sus ropas y vestidos costosos muy bien adereçados en su orden a reçebirle y embiaron delante, çincuenta alauarderos y archeros con sus libreas, para que a la costumbre de Castilla, guardassen a la persona del Rey, que parecieron muy bien. En esta entrada de la puente recibieron al Rey a cauallo.

Y porque la puerta de la puente por donde se entra a la cibdad no está tan a cuento para yr cómodamente y vistosamente a la yglesia, y ver la cibdad en la primera vista con entrada de calle derecha y ancha y en todo aggradable, por esto y en semejantes y aun en menores recibimientos acostumbran no hazerlos entrando por esta puerta, sino dar vn rodeo desde allí çerrando aquella puerta con vnas puertas de verjas de madera y van alrededor como de la quarta parte de cibdad, hasta la puerta que llaman de Santa Marina. En esta puerta de parte de fuera tenían a punto vn pallio muy rico de brocado, y muy grande con veynte varas que tomaron veynte de los Regidores y cubrieron al Rey que se estaua en su mesmo cauallo de posta en que entró en Castilla y quando vió el pallio el Rey dizen que boluiendo a hablar a vno de los caualleros que le acompañauan de su Reyno, le dixo: Boa peça es ésta.

Desde aquella puerta fué a la yglesia Cathedral donde ya estaua el Señor Obispo de Pontifical a la puerta de la yglesia, y el Cabildo y toda la Clerezía en la plaça que está delante que llaman el Campo de San Juan. Allí al entrar en el principio de la procession junto a la cruz alta, se apeó, y salió del dossel y con el compañamiento de los grandes que le seguían y del Regimiento, llegó al dossel de brocado y sitial que le estaua puesto fuera de la yglesia en el vmbral con vna cruz pequeña: allí se hincó de rodillas y de mano del Señor Obispo adoró la cruz, y estuuo en pie vn poco espacio, y siempre descubierta la cabeça; offrecióle su Señoría que entrasse en la yglesia, sy era seruido, a hazer oración. Respondió: *A isso veño*. Los cantores començaron a cantarle ciertas coplas dándole el parabién de la venida, y aun oyendo la vna copla dellas estuuo descubierta la cabeça allí junto a la cruz y a nuestro obispo.

Luego entró en la yglesia y en otro dossel con su sitial que se le tenía puesto çerca de las gradas del altar mayor, se humilló; y no hincó las rodillas sobre los coxines, sino sobre el dosel no más y hauiendo hecho oración esperó a oyr los versos y oración que el Pontifical manda se diga a las entradas y recibimientos de los Reyes naturales, los quales dixo en Canto su Señoría Reuerendíssima y después le echó la bendición Episcopal y con esto salió su Alteza de la yglesia.

Tomó su cauallo, y debaxo del pallio le lleuaron por vna de las calles más principales que va a dar a la plaça del ayuntamiento de la cibdad. Al passar por la cárcel que está en el camino abrieron las puertas, y soltaron todos los presos que estauan ya a punto en el çaguán de la cárcel (saluo los que tenían parte contra sy) éstos salieron allí delante del Rey, que fueron muchos, y con grande alegría le dieron el parabién y las gracias por su venida pues tanto les valió. De allí vía recta le lleuaron hasta la puerta de la cibdad que dizen de la Santíssima Trinidad, donde dexó aquel cauallo, y tomó otra posta y corrió las tres leguas que ay de aquí hasta el lugar que dizen Talauera. Fué su entrada entre doze y de medio día y saldría entre las horas de las dos y las tres. Hizo un día de vn sol Claríssimo, y que sólo el bastaua a regozijar toda la gente, fuera de que su parte ayudaua el ser día de nuestra señora, cuya festiuidad es aquí muy celebrada, y es día de guardar.

Boluió por esta cibdad el mesmo Rey Don Sebastián muy bueno, sano y muy contento, Domingo, día de los Reyes poco después de medio día. No entró dentro de la cibdad sino por de fuera dió buelta a la mitad della corriendo la posta con pocos de a cauallo que le acompañauan, y assí passó la puente de Guadiana sin apearse hasta que llegó a su cibdad de Yelues, de donde primero partió para Castilla. Hízole el día que por aquí passó de buelta, hermosísimo de sol, y claridad, y aduertimos aquí algunos que en aquellos dos meses o en la parte dellos que el Rey caminó, no le llouió gota. Para que los vecinos de su Reyno si quiera por aquí entendiessen el concierto que lleuauan sus requerimientos contra el bien que Dios acá le tenía aparejado para su contentamiento corporal y consolación de su ánima a su Rey.

No escriuo a V. M. lo de Guadalupe ni lo del camino porque no lo sé con la certidumbre que lo que he dicho, y porque de más çerca tendrá V. M. mejores originales que el myo.

De salud estoy bueno loado nuestro señor; él se la dé a V. M. tan cumplida como yo en mis pobres oraciones se la pido y supplico para V. M. Cuya muy magnífica y muy Reuerenda persona nuestro señor guarde por muchos años para su santo seruicio Amén. De Badajoz xij de Febrero. 1577.

Hechura de V. M. que sus muy
    magníficas manos besa

El Doctor Juan de San Clemente.

[Sobrescrito] Al muy Magnífico y muy Reverendo Señor Ambrosio de Morales mi Señor. Cronista de su Magestad etc. Alcalá.

II

[RELACIÓN DEL MÚSICO TOLEDANO]

Las vistas del rey de Portugal y el de Castilla en Nuestra Señora de Guadalupe. Año 1574, noviembre y deziembre. *(Ex al. manu.)*

Estas vistas eran para tratar de la jornada que quería el Rey Don Sebastián hazer en Africa contra el Xarife y el Rey don Phelipe de Castilla procuró estorvársela y no pudo él la hizo y murió en ella y los Reynos quedaron en trabajo de quien los a de heredar. *(Ex al. manu.)*

Muy Ille. Señor

VIÉNDOME V. M. mandado que encomendase a la memoria las cosas más notables que se offreciesen en esta Jornada que su Magestad haze a verse con el Sereníssimo Rey de Portugal su sobrino en Guadalupe, no osé fiarme de la mía, que no es la mejor del mundo, y he dado en otro inconueniente mayor que es poner a v. m. en las manos cosa escrita de las mías, que por ir con tan ruín orden y estilo le offenderá más que por ventura le offendiera si en algunos ratos de los pocos que v. m. tiene desocupados se lo refiriera de palabra, mas temí de no poderlo percebir todo así por la grandeza y multitud de lo que ha pasado como porque contándoselo a v. m. con el respecto que se le deve, pudiera ser oluidárseme algo y por uentura lo más importante, y no me parece fuera de propósito començar en el apercibimiento que, por mandado de S. M., estaua hecho en esta santa casa para aposentar a su Alteza, lo vno porque es lo primero que yo e visto, y lo otro porque quede este cuidado echado a parte. /

Señaló S. M. por aposento de Su A. la hospedería de esta casa, suficiente para posar en ella qualquier príncipe si se puede dezir que haya cosa que lo sea (acá en la tierra) para la presunción portuguesa;

ay en ella lo primero una sala de 30 pasos de largo y 10 de ancho y estava colgada con 10. paños de Su M. de seda y oro Riquíssimos, la historia era de Noé, con su arca, diluuio, aues, y animales, cosa muy para uer, y con la claridad que en la sala auía salían mejor que ningunos otros de los que estauan colgados porque en los demás aposentos ay alguna falta de luz auía en ellos vn dosel de buena labor, oro i plata sobre terciopelo morado y un escudo de armas de su Magestad. /

a la mano isquierda está vna quadra de [ciento cuarenta y un] pasos adereçada con paños de oro y seda. la historia era de los 7 pecados mortales que nunca los e visto buenos sino en esta tapicería, y éranlo también vna silla y dosel que auía de aguja y oro donde estauan en lo largo del dibuxados los gigantes que hizieron la guerra a los Dioses precipitados de las torres por donde intentauan subir al cielo, y phaetón que caya hecho pedaços con carro y cauallos, en lo que buelue del dosel estaua un Júpiter ayrado arrojándoles Rayos tan ricos y con tantas piedras y cosas preciosas que si acertaran a caer en casa de un pobre hombre le pudieran matar muy bien la hambre. estauan escritos en los lados del dosel estos uersos que por parecerme bien los puse aquí, *quanto grauior offensa Deorum, tanto nulle aduersus Deos uires*, / en lo baxo estaua otro que dezía. *Discite Justitiam monite et non temere Diuos.* /

éntrase luego a la antecámara de Su A. la qual estaua adereçada de unos pañicos de asta seis anas de caída todo seda y oro la historia era aquellas transmutationes que cuentan de Vertuno [sic] con la diosa pomona, cosa bien para uer, y no lo era menos el dosel que aquí estaua que fué de la princesa dado que no auía en él historia sino vnas Architecturas y en lo alto vn pauimento tan bueno que no poco le dessee yo para la capilla de mi Señora. doña maría que está en el cielo y a fe que con el de acá se pudiera hazer harta parte del de allá. /

luego se offrecía la cámara del Rey de portugal adereçada de los mismos paños del Vertuno y con vna cama silla y dosel de plata y oro Rizado cosa costosa en estremo y agradable a la vista házenle la fiesta con ello por auer sido de su Madre. /

ay luego vn tránsito para la pieza del gran capitán y estaua colgado de los mismos paños que la cámara y antecámara auía en él un aparador con vn dosel bueno y rico pero no como los passados era a piernas de terciopelo carmesí y brocado. /

la cámara que aquí llaman del gran Capitán estaua señalada para el camarero del Rey y colgada con vnos paños de la princesa de oro y seda, la historia de los 7 pecados mortales como la quadra y a mi parecer eran los mejores que aquí auía, cama de brocado carmesí colcha y sobremesa de lo mismo. llegado aquí su M. mandó que esta cama se quitasse por desembaraçar aquel aposento y porque en la cama que era buena acaesció cierta desgracia que en adelante se dirá. /

a la mano derecha de la sala ay vna quadra con vna chimenea y vn corredor para spaciarse. colgada de vnos paños de seda y lana que fueron del emperador. la historia eran las 7 virtudes, pareciéronme muy bien y es qualquiera tan grande como el mayor de los que la yglesia tiene.

por ella se entra a vn aposento que dizen del Infante y estaua adereçado con paños de oro y seda buenos. la historia era la peregrinación de S. pablo y el dueño de lo que aquí auía era la marquesa de mirauel. posó aquí Christóual de Tauera y durmió en una cama carmesí.

éste era el adereço que en la hospedería auía para el Rey y sus más priuados. fuera deste estaua la celda que el prior tiene junto al Capítulo que es la mejor de la casa entapiçada marauillosamente para que los dos Reyes se uiessen allí a solas. /

Sin esto auía en el patio de la enfermería diez y seis celdas alegres y buenas muy bien adereçadas para los otros caballeros de quenta que viniesen con Su M. / Señalósele por cozina suya la de la enfermería que cae muy a mano aunque la Costa fué toda de su M. /

Anticipóse vn aposentador de su A. a uenir a uer el aposento de su Rey y como llegó a la hospedería y uiese el adereço tan Rico que en ella auía, preguntó a unos alauarderos castellanos que qué hazían allí? y dixéronle que guardauan aquellos aposentos para el Rey de Portugal y él Replicó, ainda vos digo que nao dexéis entrar se non fore o fillo de deus. / el dicho se a Reído pero en castigo de esta presunción entró vn gato y en la cama que estaua más adentro de la del Rey como no hallara cosa más acomodada se ensució de manera que en ninguna de las del mundo se pudo aprovechar de aquella cama a lo menos en aquel aposento porque era muy claro y no lo fuera menos el deffecto que auía en ella, mandó su M. que la pasasen a otro más oscuro y allí estuuo algo disimulada, an quedado desto los portugueses tan corridos que si se les hiziera vna muy gran affrenta y no lo han estado menos los criados de su M. a cuya quenta estauan estas cosas y así se lo dixeron el día que llegó aquí luego en comiendo. /

no quiso el Rey nuestro señor que el Conde de Fuensalida ni los aposentadores que aquí estauan señalasen para nadie aposento hasta que él por su propia persona lo hiziese y con esta determinación entró aquí dos días antes que su A.

Jueues 20 [de Diciembre]

que fué Jueues 20 de diciembre como a las 11 del día uenía en coche y apeóse del a la entrada del lugar y subió en una haquilla, vino acompañado del Duque de alua, prior don antonio, marqués de aguilar, marqués y conde de pliego, conde de buen día, don Rodrigo manuel capitán de la guardia los de la cámara don pedro su hermano el adelantado don Rodrigo de mendoça, don diego de córdoua, don diego de acuña, don Christóual de Mora, don Fernando de Toledo, sobrino y báculo del prior de sant Joan, don luis manrrique limosnero de su M. don Iñigo [sic] de mendoça capellán de su M. los dos santoyos, el secretario Matheo Vázquez, y el conde de fuensalida que acá estaua. Saliéronle a Recebir el prior y conuento fuera de la yglesia hasta vnas gradas que baxan a la plaça a donde estaua vna alhombra grande y en ellas dos almohadas que pudieran ser mejores. llegó el preste y dióle a besar vna ✠ que tenía lignum crucis, i noté que quando su M. se quiso hincar de Rodillas a adorarlas dió del pie a las almohadas y hincó la rodilla en la alhombra. Contemplatiuos dixeron auerlo hecho por no ser buenas pero yo no creo que fué sino con mucha deuoción que tal la demostró él quando se arodilló. /

lleuáronle los frailes en procesión hasta la primera grada del altar mayor y allí estava puesto un buen sitial de brocado y dos almohadones en que hizo oración a nuestra señora. /

acabada de hazer llegó primero el prior de esta santa casa (y con él todos los priores que lo son en otras siendo hijos desta) a besar a su M. las manos y estauan aquí porque particularmente fué orden de su M. que en esta sazón ningún fraile professo de aquí faltase de este conuento. /

Salió vno a dezir missa a su M. oyóla deuotíssimamente y en acabando subió por la scalera de la sacristía a otra que está detrás del coro y por ésta a su aposento que estaua desta suerte.

Tienen los frailes vn callejón por do van a la torre de las campanas y en él seis o siete celdas que las uentanas dellas caen al cuerpo de la yglesia, y la postrera que es la en que su M. tiene su cama cae en el crucero de la misma yglesia de manera que desde su cama se ue a nuestra señora y por esta excelencia escogió aquí su abitación. / digo pues que este callejón se atajó con tres taibiques [sic] y en cada vno su puerta a trechos que la postrera estaua junto a la de la celda en que su M. dormía y las demás celdas que estauan antes desta tenían hechas en ellas puertas que se podían andar de vna en otra hasta la de su M. de la primera destas tenían llaue los de la cámara que auían de negociar entrauan por las tres del callejón que dixe. /

aquí comió luego su M. y en comiendo baxó sin quitarse las espuelas a uer la hospedería, y los aposentos de la enfermería y él ordenó quién auía de posar en cada aposento y así se escriuieron luego los nombres de los caualleros portugueses en las puertas de los aposentos. /

los grandes y caualleros que con él uinieron tenían ya hecho aposento en la casa Repartidos en las celdas junto a la de su M. y estaua la suya y las destos caualleros bien compuestas y con mucha curiosidad, pero no con tanta como la de los huéspedes portugueses. /

Quiso estar esta misma tarde en vísperas y así vino a ellas al coro con harta llaneza porque sólo uenían con él don Rodrigo de Mendoça y don diego de córdoua, sentóse en la quarta silla más baxa que la del prior y allí le tenían puesto el dosel y almohadas en que hizo oración a nuestra señora. /

Mandó que las Vísperas fuesen de Canto llano todas y que a sola la magnificat se dixese vn fabordón que cantan todos los frailes de memoria, y que la cantase alguien al órgano. / acabada que fué algo tarde don Rodrigo tomó un candelero de plata con vna uela y le alumbró hasta su aposento, iua parlando con el prior de aquí. /

Viernes 21 [de Diciembre]

Viernes día de Santo Thomé que fueron 21. Su Magestad oyó missa mayor en vna tribuna que estaua adereçada para este propósito con una camilla de damasco carmesí. /

a la tarde oyó vísperas desde su celda por vna de las uentanas que caen al cuerpo de la yglesia y tenía casi el medio suyo sacado fuera de la uentana, los grandes y caualleros que con él uenían estuuieron en el coro. /

despachó a don diego de córdoua en su coche para que viese si en el camino por donde Su A. auía de uenir hallaua disposición para que se hiziese vna plaça donde él pudiese salirle a Recebir, y en fin le pareció que media legua de aquí se podría hazer, y así se lleuaron luego los peones que parecieron ser menester para que desmontasen y allanasen el sitio que don diego señaló. /

este mismo día huuo algunas diferencias entre el conuento y los caualleros que aquí estauan de talauera si su A. auía de almorzar en la uenta de los palacios que es a donde el conuento tenía hecho que le aparejasen o si desde Madrigalejo auía de uenir sin parar a la uenta de puerto llano que es dos leguas de aquí donde talauera le tenía vna soberuia comida, y al fin los Religiosos se fueron a Su M. con esta differencia y despachó luego vn correo pidiendo al Rey que en ninguna manera dexase de aceptar el offrecimiento de los frailes y que después uiniese adonde los de talauera esperauan. /

no será muy fuera de propósito (aunque haga alguna digresión) poner en este lugar la relación de las Jornadas que S. A. hizo desde que salió de lisboa que fué Martes 11 de deciembre 1576 según me an referido personas fidedignas que uenían en seruicio de su A. y quentan que pasó así. /

92

Martes 11 [de Diciembre]

este día partió su A. de lisboa en vna muy hermosa galera que le trajo hasta vna punta de puerto que está a dos leguas del de Lisboa y vna de aldea gallega, y allí le recibió vn bergantín y metió consigo a algunos fidalgos y los que no cupieron se entraron en otros baxeles de remo y vela y con buen tiempo llegó su A. a aldea gallega, a las 4 de la tarde y alojóse en vn razonable aposento aunque no los auía buenos en la villa hallóle bien adereçado con vnos doseles de brocado y tercio-pelo carmesí con vna cama toda de tres altos muy buena, y silla con sobremesa de lo mismo, cenó en siendo denoche, siruiéndole muchos seruicios de carne, los caualleros que le acompañauan cenaron juntos en vna mesa que llamaron estado y tratáronlos muy bien, eso que no lo fueron en las posadas que las auía Ruines y con mucha estrecheza pero los regalos suplieron la falta que en esto vuo.

Miércoles 12 [de Diciembre]

Oyó por la mañana missa Su A. y luego almorçó o hablando pro-priamente comió porque eran más de las diez y en comiendo la gente que con él uenía partió de allí como a las 11. y corrió la posta hasta vn lugarejo que se llama landera que será 5 leguas de aldea gallega, de hasta diez y ocho o 20 casas. Salióle a recibir el cura y la gente del lugar con la ✛. Su A. hizo oración en la yglesia y acabada se fué a una bien ruín posada que estaua colgada de doseles de brocado y ter-ciopelo verde con cama silla y sobremesa de lo mismo, cenó Su A. con el orden que el día antes y así lo hizieron los caualleros de su compañía. /

Jueues 13 [de Diciembre]

Por la mañana oyó missa y almorçó como el día passado aunque algo más de mañana porque partieron a las 8. y fueron a dormir a montemayor que es vna buena villa 7 leguas de landera que a la quenta de las de Castilla son muy buenas 9. y allí se aposentó Su A. en mejor aposento que los passados, hallóle adereçado de brocado y terciopelo carmesí como en aldea gallega. la Raçón es que Su A. no traía más que dos adereços y seruíase con ellos a tercero día y esso mismo hazía de dos aposentadores. Saliéronle a recibir media legua del lugar la Justicia y gente mas principal de él. /

Viernes 14 [de Diciembre]

Después de auer oído missa comió Su A. aunque viernes carne, y los caualleros de su casa muchos pescados frescos y buenos y en gran abundancia y esa misma auía en la gente de menor quenta. de aquí partió Su A. temprano por llegarlo a Euora y púsose a cauallo a las 8. y llegó a esta ciudad (que es de las más principales de su Reino así de nobleza como de edificios y monesterios sumptuosos especialmente la compañía de Jesús) casi a las 4. Saliéronle a recebir el Obispo y muchos clérigos a quien el Rey dió la mano, reciuiólo luego la ciudad con uestidos ordinarios y besáronle la mano y acompañáronle hasta la entrada del lugar donde le aguardaua el Cardenal Infante su tío y algunos clérigos y seglares a caballo; besóle el Cardenal la mano y algunos de los que con él estauan y todos le acompañaron hasta palacio, el qual estaua adereçado con el aparato uerde. Cenó Su A. y sus criados con el orden que ya e dicho. /

Sábado 15 [de Diciembre]

Oída por Su A. missa almorçó de carne y los caualleros que le acompañauan pescado por no usarse en Portugal comer grosuras y a las 9 partió para uenir a extremoz que está a seis leguas de Euora aquí le recibió alguna gente de a cauallo que acompañauan al Corregidor con bien poco sentimiento de alegría, tuuo buen aposento con la colgadura carmesí, cenó carne y los demás muchos pescados frescos aunque treinta leguas de mar, pensó su A. quedarse aquí el domingo y después acordó otra cosa. /

Domingo 16. [de Diciembre]

hecho lo ordinario que era oir missa y almorçar, Su A. se partió para Eluas que es vna bonita ciudad seis leguas de extremoz Salióle a recebir la ciudad i Justicia de ella, a quien dió la mano, y casi media legua salieron vn tropel de quinientos hombres de a cauallo sin infinita gente de pie y gran suma de mugeres, pero lo que agradó a Su A. fué un esquadrón de hasta 400 hombres con sus picas puestos en vn llano muy en orden, i sin éstos auía otros cientos i cinquenta arcabuzeros y vallesteros que a la llegada del Rey le hizieron salua disparando los arcabuzes y acompañáronle hasta la puerta de la ciudad a do se quedaron y Su A. entró con su corte, estaua el lugar adereçado y colgadas las uentanas lo mejor que cada vno podía, llegó Su A. a palacio que ya estaua colgado de verde, y a los demás dieron las mejores posadas del lugar, a la ora que Su A. acostumbra cenó de carne muy poco que nunca cena más que dos o tres platos, / esta noche tuuo don Joan de Silua un gran vanquete de los cavalleros castellanos que se auían adelantado a seruir y acompañar a su A. desde Badajoz, a quien regaló y acarició el embaxador infinito. /

lunes 17. [de Diciembre]

estúuose Su A. todo este día en Eluas y comió carne aunque fué vísperas de nuestro señora, los que con él vinieron comieron pescado. /

Martes 18 [de Diciembre]

día de nuestra Señora de la -O. después de auer Su A. oído missa y comido caminó para la ciudad de badajoz primer lugar (de los de quenta) de Castilla, y en término que diuide los dos reynos estaua el Correo mayor de Castilla Reymundo de tarsis con ciento i cinco cauallos de posta los quales se rrepartieron dando a cada cauallero los que vuo menester según la caridad de las personas; yo he sido informado que uenían bien necessitados de hallar buenas caulgaduras y adereços de ellas porque en portugal le auían tenido tan malo que corrían en la compañía del Rey más de diez hombres echados los coxines sobre vna manta i sin ningún género de freno en el cauallo, con los que aquí tuuo el Correo mayor se repararon y corrió Su A. hasta seis tiros de piedra antes de la puente de badajoz adonde le esperaua el Obispo con algunos Clérigos, pidieron todos a Su A. la mano, y no se la dió al Obispo pero no le hizo cortesía y a los otros por hacérsela se la dió, hízole vna breue plática, y el rey le Respondió un agradecimiento, y esto hecho el Obispo subió a cauallo y se fué a uestir de pontifical para recebirle en la yglesia, y en partiéndose él, llegó el corregidor i ciudad que por todos serían .22. personas en muy buenos cauallos con gualdrapas de terciopelo negro, uestidos de Ropas de terciopelo carmesí, forradas de Raso amarillo, calças y Jubones amarillos con botas blancas, todos ellos besaron al Rey la mano a pie y luego subieron en sus cauallos para acompañarle a la ciudad, a la puerta de ella tomaron vn gentil palio de tela de oro sobre 22 varas y debaxo del recibieron a Su A. a cauallo y con él entró su cauallerizo mayor a pie al lado izquierdo, acompañaron también al Rey la guarda de badajoz que son 6 arcabuzeros y piqueros de por mitad. / llegó el rey a la yglesia donde alló al Obispo y cauildo que le esperauan, el Obispo tomó una ✚ y adorada por Su A. entró y hizo oración en la yglesia y saliéndose de la ciudad pasó por la Cárcel y a uista suya soltaron .92. presos sin parte algunos de los quales estauan sentenciados a galeras y otros a ahorcar. /

el palio con que le Recibieron se entregó luego a Christóual de Tauora Cauallerizo de Su A. a quien de derecho le uenía, y él prometió de darle a nuestra señora de Guadalupe como después lo hizo. /

Corrió Su A. hasta talaueruela villa de Su M. adonde estauan ya los aposentadores de Castilla y por ellos halló Su A. adereçado aposento, con vnos tapizes de seda y oro singulares, cámara y recámara de brocado uerde, i carmesí de tres altos, cama silla y sobremesa de lo mismo y una Riquísima colcha, / los caualleros hallaron sus posadas adereçadas de buenos paños ordinaros, pero los aposentos suyos de terciopelo carmesí y algunos de brocado tan bien puesto y colgado y las camas sillas y buffetes con tanto ornato que los portugueses se admira-

ron mucho, y acaeció aquí que entrando vn criado del Conde de Portalegre a solicitar el aposento de su amo y uiéndole tan puesto en orden
admirado dixo, Consagro a os euangelios que naon pode aquí dormir
se nam deus. /

Regalóseles de manera a los portugueses que se dexaron infinitas cosas en las posadas, y parece ser que el Comprador del Rey estaua muy
aduertido que no tomase nada sin pagarlo e importunándole el embaxador que no lo pagase jamás se pudo acabar con él sino fuese con condición que se tomasen a buena quenta trecientos reales, y el embaxador
mandó que se recibiesen por acabar con él, y aquella misma noche se
gastó en la cena de Su A. y de los que con él uenían (sin encarecimien-
to) más de 400 escudos, y a la mañana hablando el rey con el embaxador le dixo que en ninguna manera se dexasen de tomar dineros y
don Joan le desengañó, y en fin Su A. tuuo por bien que de ay en adelante lo que se gastasse fuese por cuenta de Su M. y boluiéronle sus
300 Reales. /

Cenó Su A. aquella noche de mano de los cozineros castellanos y
agradóse tanto de ello que mandó que siempre le guisasen ellos y por
hazerlos lisonja cenó más de lo de ordinario, el estado y toda la gente
fueron muy Regalados. /

Miércoles 19 [de Diciembre]

a la mañana oída missa y comido partió Su A. de talaueruela para
mérida adonde llegó a las dos de la tarde, Salióle a recebir el vicario
de allí y pidióle la mano, diósela Su A. por dar lugar a que la ciudad
llegase los quales serían hasta doze Regidores, uestidos como en badajoz de Ropas de terciopelo carmesí forradas en raso amarillo, calças
y jubones de Raso blanco, pidiéronle todos la mano y él por no descon-
solarlos se la dió, a la puerta de la ciudad le metieron en un palio de
brocado de lauores marauilloso, el qual sustentauan 12 uaras que ellos
lleuauan, entró en él Su A. como en Badajoz con su caballerizo al lado
y así fueron hasta la yglesia donde hizo oración y de allí al aposento
que se le tenía hecho que estaua colgado de brocado turquí y una
hermosa cama de tela muy recamada. / el palio dieron al cauallerizo
mayor. /

Jueues 20 [de Diciembre]

a las 9. partió de Mérida para uenir a Medellín y en vn lugarejo
que ay en medio de bien pocos uecinos salieron a Recebirle quatro hombres los tres con picas y el otro con vn arcabuz lleuaron su bandera y
tamboril de lo que el Rey gustó mucho. /

En Medellín le tenía el Conde un muy escogido Recibimiento con muchos toros y juegos de Cañas palio y otras cosas que él tenía prevenidas

ninguna de las quales quiso Su M. que se le hiciese, por ser lugar de señorío y porque no pareciesse que sus vasallos se señalauan tanto como él, finalmente el conde le salió a Recebir con su hijo mayor y algunos caualleros deudos y amigos suyos y pidiéndole la mano el rey no se la dió pero tampoco se descubrió. el conde nombró a cada vno de los que con él venían y llegando su hijo dixo éste es don Juan mi hijo mayor. Y a un Cauallero de su compañía le pareció que auía dicho poco y adelantóse hazia el rey y dixo el Señor don Joan es hijo mayor de su Señoría. los que con el Rey uenían lo rieron no poco y el conde se corrió harto más. llegaron luego dos truhanes que el Conde lleuaua en dos muy buenos cauallos y bien adereçados y díxole que se llamauan los leales y a él le parecieron bien por ser de buen talle y mandóles pasar delante, y al partir para hazerlo al vno se le reparó el cauallo y al arrancar reboluióse vn poco i hizo poluo de suerte que dió con ello en los ojos al Rey, y él enfadado desto dixo, Apartauos, O, este home nam e leal, / pasaron por la puente de Medellín que es muy buena y estaua en ella algún número de gente que auía salido a uer al Rey apeóse en casa del Conde donde le tenían hecho aposento en un buen quarto de la casa, y la sala estaua colgada de vna gentil tapicería de oro i seda, quadra antecámara y cámara de brocado con muy buenos doseles. durmió Su A. en una extremada cama que fué de su Madre la princesa, cenó muy bien y beuió con nieve, y así lo hicieron los caualleros que le acompañauan a quien causó tal desconcierto de estómago que se vuieron de morir, y así los a quedado por adagio, la nieue de Medellín. / todos fueron bien aposentados y proueídos. /

Viernes 31 [de Diciembre]

Comió el Rey allí y partió a las 8 para madrigalejo salió acompañando a Su. A. el conde y a la partida le hizo el Rey vna gran cortesía conque se saldó el descuido de la primera, llegó el rey a vn lugar que llaman lobón y soltaron en él treze presos, auía en el camino infinita gente desseosos de uer al Rey. /

quando Su A. llegó a tierras de Villanueua de la serena le salió el vicario de aquel lugar a recebir con dozientos arcabuzeros y otros tantos ginetes con lanças y adargas que fué un vistoso recebimiento, acompañáronle hasta tierra de madrigalejo. /

llegó allí Su A. a las 4 de la tarde y halló vn mediano aposento cubierto de brocado que fué en el que murió su tercer agüelo el Rey Cathólico, teníanle aparejada cama de brocado carmesí y uerde; con dosel, silla y sobremesa de lo mismo.

todos sus caballeros fueron muy bien aposentados y estauan sus posadas colgadas de tela de brocado y camas muy singulares, cenó Su A. muy bien y los que con él uenían, y toda la demás gente fueron muy bien tratados y Regalados porque realmente despúes que Su M. les hizo la costa anduuo todo muy sobrado y con mucha abundancia, / y es menester aduertir que a ninguno destos adereços con que a Su A. Recibieron desde badajoz no se a tocado porque se quedaron así para la buelta. /

Sábado 22 [de Diciembre]

partió Su A. bien de mañana y en ayunas de madrigalejo para la vuenta de los palacios donde auía de oir missa y comer como adelante se dirá. /

este día a las 8. llegó a su M. don Christóual de Mora por la posta pidiéndole de parte de su A. fuesse seruido que su entrada se diffiriese para otro día que era domingo porque auiendo de partir de Madrigalejo donde auía dormido que es .8. leguas de aquí haziásele mucha jornada para tan pequeño día, mayormente auiéndose de detener en la uenta de los palacios con los frayles y en la de puertollano con talauera. / el mismo don Christóual boluióse con orden de que en ninguna manera dexase de uenir y que en las estaciones abreuiase lo que pudiese las quales fueron así. /

vn día antes desta partieron del conuento quatro Religiosos de los más antiguos y de más canas y autoridad juntamente con el mayordomo mayor de esta casa y llegaron a los palacios para preuenir el el Almuerço del Rey.

llegó allí como a las 10 del día y oída missa se le dieron muy Regalado de carne, y a los caualleros de pescado con muchas truchas que para este propósito les enbió el duque de béjar, holgóse con ello según los mismos me an Referido. /

de allí vino a puertollano que es vna Ruín uenta pero para esta ocasión bien adereçada por el Regimiento de talauera, auía a la entrada vn arco de lienço pintado lo más curioso y bien enrramado que ellos pudieron con yeruas apazibles y olorosas y gran cantidad de gallardetes y vanderolas con las quinas de portugal y adentro vna sala colgada de lienços y sobre ellos muchos brocados y vn muy buen dosel. /

Salióle a Recebir de aquí el alcalde de la hermandad vieja de Talauera (con el quadrillero mayor uestido de terziopelo uerde y pasamanos de oro y lleuaron ochenta quadrilleros con vallestas, uestidos de paño también uerde) casi a media legua de la uenta besó al rey la mano y uino acompañándole. /

como a un quarto de legua más acá le Recibieron don luis de loaissa don Cosme de Meneses y hernando girón Caualleros y regidores de talauera hiziéronle su arenga i mostró holgarse con ellos y así no les dió

13

la mano aunque se la pidieron que no se a de tener en poco según lo que Su A. gusta de darla. /

entró en puertollano a las 2 y al entrar del arco le reciuieron con mucha música de ministriles y apeado se sentó a comer. Siruiéronle en estremo regaladamente más por ende cosas de carne. todo lo que tardó en comer le dieron música unas ueces tañendo instrumentos baxos, otras cantando cosas que para aquel propósito tenían estudiadas. /

aquí llegó un correo que Su M. auía salido ya de Guadalupe y así salió luego a cauallo y començo a dezir Vía que era el término con que significaua que se diessen priessa y con no poca començaron a caminar. /

Venía su A. muy a la ligera (a lo que los portugueses dizen) y uiniendo por la posta traía quatrocientos y cinquenta de a cauallo sin infinita gente de a pie. /

los prinçipales que con él uenían eran el duque de auero que es toda su priuança el conde de portalegre mayordomo mayor, el conde de sortella guarda mayor. don Juan de silua embaxador de Su M. / don francisco de portugal que es de la cámara / Manuel Quaresma, pedro de alcançoua, / estos tres son de consejo de estado y hazienda. / luis de silua de la cámara, / don luis de tayde / don Joan Mascareñas, / don vasco Cotiño de la Cámara, y Francisco de sa, que estos cinco son del consejo de hazienda con los otros tres. / uinieron sin estos otros caualleros en diuersos officios / don diego lópez de lima de la cámara Christóual de tauora de la cámara y su priuado y cauallerizo mayor Aluaro pírez su hermano, francisco barretero veedor, francisco de tauora Repostero mayor, don luis de Meneses Copero y alférez mayor, miguel de mora secretario y lucas de andrada muy su fauorito y otros treinta ayudas de cámara sin otra mucha gente. /

llegó con la priesa que dixe adonde Su M. le esperaua en el pedaço que ya conté que don diego de córdoua auía hecho desmontar. estaua sentado en su coche y todos los grandes y caualleros que con él yuan en pie junto a la portera de Su M. /

Començáronse a apear caualleros portugueses pero esperando a su Rey no se mouían passo. don Joan de Silua se apeó y fué a besar a su Magestad las manos al coche y él le abraçó y le tuuo echado un Rato el braço al hombro, habló un poco con él y apartóse porque ya el Rey se apeaua en el mismo camino y estaría Su M. fuera del como 30. passos. /

al punto que Su M. vió que su sobrino se quería apear salió del coche y caminó como 20 passos que ya Su A. auía andado los otros y llegaron acompañados cada vno con los de su parte a juntarse, con los sombreros en las manos y a mucha furia se abraçaron y estuuieron assí algún espacio. después desto apartados ya pero descubiertos habló el

Rey de portugal el primero buen Ratico y su M. le respondió muy riéndose y con grandes muestras de contentamiento. /

don Joan de silua llegó a Su M. y le dixo que los grandes y caualleros que con su A. uenían deseauan besar a su M. las manos si les
daua licencia. / Su M. se apartó a una parte y su A. a otra. cubiertos
púsose el embaxador junto a su M. para decirle los que llegauan y llegaron desta suerte. /

el primero llegó el duque de auero a quien su M. abraçó quitado el
sombrero tras él el conde de portalegre mayordomo mayor y hízosele
la misma cortesía, el tercero fué el conde de sortella y aunque su M. se
cubrió más presto también le habló descubierto; a los otros caualleros
se le tuuo puesto más en el semblante mostraua holgarse con ellos. /

don Christóual de mora se puso al lado de su A. y el primero que
llegó fué el duque de alua el 2. el prior de S. Joan, el 3. el marqués
de aguilar y a estos tres abraçó con el sombrero quitado, a todos los
demás le tuuo puesto saluo que a los que llegaron de título echaua mano
a la falda por la frente y leuantáuale vn poquito. finalmente los de la
cámara llegaron a quien recibió con buen Rostro. /

acauado esto Su M. le ganó la mano siniestra y tomándole a la derecha (aunque lo porfió vn poco) se fueron al coche y al entrar del estribo
se rogaron también, pero su M. dió en acariciarlo de suerte que holgó
de Rodear por fuera de todo el coche y pasarlo al otro estribo, y a esto
todo esperó Su A. sin entrar. y fué tanto que Su M. entró primero más
bien se echó de uer porque lo hizo que fué por tomar el asiento de la
izquierda y que el rey fuese siempre a la derecha. /

vinieron desde allí parlando con grandes muestras de uenir contentos y casi a las 4. entraron en Guadalupe. / llegados a la plaza donde
se hauían de apear cada vno salió por su puerta del coche y su M. con
su cuidado de lleuarlo a mano derecha Subieron la scalera y llegando
al lugar donde dos días antes Su M. auía adorado la ✠ Su A. la adoró.
bien es uerdad que si Su M. no se hincara de Rodillas él la adorara en
pie más como le uió así luego él también se humilló i los frailes en processión los lleuaron a hazer oración al altar como Su M. la auía hecho. /

aduierto que entre los caualleros castellanos i portugueses vuo también grandes recebimientos y así el de alua tuuo el mismo cuydado de
honrar al de auero que su M. auía tenido con su sobrino, y el prior de
S. Joan al de portalegre y todos los demás a quien tenían obligación de
regalar.

hecha oración antes que su A. se leuantasse su M. baxó dos escalones
y le esperó en el lado y entraron en el claustro y llegaron a la hospedería
que era el aposento de Su A. y en dexándole en su Cámara su M. se

boluió a la suya Recibiendo en el camino a algunos portugueses que no
le auían hablado. /

diósele esta noche vna sumptuosa cena avnque no cenó casi nada.
Segundóse con otra a los del estado de su A. no menos buena, y en oyendo cantar a unos músicos que su A. trae de cámara se fueron acostar. /

antes que passe más adelante será bien dezir de la disposición que
es su A. y de la manera que entró uestido, y es así que la tiene muy
gentil, de buen Rostro blanco y colorado, ojos pequeños y zarcos, la
barba que es poco bermeja i no digo Ruuia porque no lo es, la boca
no grande y belfa, cejijunto i bien fornido que finalmente todo él tira
a la casa de austria, será de edad de 23 años, entró uestido de herreruelo y Ropilla de eruaje forrado en felpa para este propósito. los demás portugueses vienen todos de raxa negra guarnecida de terciopelo
negro, botas y lechuguillas las mayores que en mi vida e visto i dieron
en este estremo por salir de otro que es traerlas en su tierra muy pequeñas, y assentáuanle tan mal quanto mi Dios lo remedie, juntamente
con esto ussauan de vnas gorras de Rizo muy desproporcionadas de
grandes como hombres que se las ponen a deseo, i de otros trages que
ví i noté no oso hablar así porque ai aquí mandato de Su M. para que
no se murmure de ninguna cosa portuguesa, como porque temo quedar
con V. m. en opinión de Maldiciente. /

Domingo [23 de Diciembre]

Su M. se leuantó a las 7. i pidió un Conffesor i se confesó con frai
alonso de Seuilla Religioso de esta casa i hecho esto se abaxó a la
sacristía y en vna capilla dentro de ella que llaman de los ángeles estaua ya uestido frai Joan del corral prior que fue el trienio pasado
deste conuento i le dixo missa, como acabó de consumir antes de las
abluciones Su M. se leuantó de un estrado carmesí en que estaua hincado de Rodillas i se llegó a la grada del altar y comulgó con tanta
deuoción que a los que lo uieron no les quedó poca, traía puesta vna
capa muy larga de Raxa y caperuça de quarto que es un mediano luto.

a esta ora que serían ya cerca de las 9. su M. se fué al aposento
de su A. y juntos uinieron a la cortina que les estaua ya puesta entre
la primera rexa de la Capilla mayor y la que está junto a las gradas
del altar, era de tela de oro carmesí y goteras de brocado, auía en ella
dos sillas de brocado y un Sitial con otras dos almohadas para hincarse
de rodillas. Su A. uenía uestido de Raxa forrada en felpa, gorra de
Rizo y una gran encomienda de Christus en el pecho y vna vanda de
aualorio al cuello que a sido el uestido más ordinario que aquí a traído. /

y es cierto que fué mui para uer el cuidado que Su M. tenía de que
su sobrino estuuiese siempre al lado derecho pues con no estar sentado

frontero del altar sino al lado estando el de portugal más allegado i luego el de castilla, siempre que Su A. se iua a hincar de Rodillas passaua por delante del rey nuestro señor y le boluía las espaldas y su M. iua tras él para arrodillarse también. /

detrás de la cortina uvo un vanco cubierto con vna alhombra donde estuvieron sentados el duque de auero, prior de S. Joan y Marqués de aguilar, no estuuo allí el de alua por andar indispuesto. todos los otros caualleros portugueses y castellanos estuuieron arrimados a las Rexas en pie i descubiertos la missa y sermón. esse que hizo maravilloso frai ᵀoan de Santa ✠ Residente en la Casa de Salamanca, boluió Su M. con el huésped hasta su aposento y el vno y el otro comieron retirados.

díxome don Diego de Córdoua hablando este día con él sobre la Junta de Su M. y su A. que supiese que no se auía de llamar así, sino M. y que el rey se lo auía llamado i mandado a todos los de su casa que lo hiziesen así i no se a exercido punto de esto aunque yo en lo que scriuiere no se lo llamare por no variar de lo que tengo escrito i porque el decírselo aquí fué de emprestado y en toledo sería llamárselo muy a trasmano, fuera de que causaría confusión tanta magestad en vna relación donde por fuerça se an de nombrar tras cada paso. /

Su A. Reposó vn poco la comida durmiendo y en dispertando entró el prior desta casa con hasta 20 religiosos a besarle las manos y dió muestras de holgarse de uerlos, luego subió acompañado de su corte y criados al aposento de Su M. y estuuieron hablando solos bien dos oras al cabo dellas se boluió con los que auía ydo y con algunos destos caualleros de la cámara. /

hecha diligencia por saber el intento que Su A. tiene en esta Junta, quien dize que uiene por su deuoción a tener nouenas que las tenía prometidas, quién que a conocerse con su tío y uisitarle, vnos que a conzertar casamiento con la hija mayor de Su M., otros que son los que más delgado hilan que aconsejarse con él sobre la guerra que piensa hazer en áffrica.

porque parece ser que un yerno del Rey de argel a usurpado el nombre de xariffe, i con gente que se le a llegado y el socorro que su suegro le a hecho a uencido en batalla campal al uerdadero xariffe de Marruecos, y para solidarse y perpetuarse en el nueuo Reyno áse faborecido del Gran Turco cuya hechura es su suegro y ále enbiado gran cantidad de turcos y éstos se uan apoderando de la tierra de manera que en ninguna fortaleza ai alcaide que no sea turco, demás de que an procurado con gran instancia de hazer dos fuerças en áfrica junto a la mar de donde reciben no pequeño daño las que en aquella parte tiene su A. que son tánger, arzila y azamor, y otras fortalezas, i preuiniendo al daño que se le podría seguir si los turcos cobrasen fuerças y se enseñoreasen de la costa, dessea (aunque sea con alguna cosa suya) passar allá y atajar el cáncer antes que el negocio sea incurable. /

para jornada de tanta importancia i donde él propio a de ir en persona ále parecido (no sin mucha consideración) de dar quenta a su M. pidiéndole su parecer i consejo para seguirle en todo como el más acertado. /

esto es lo que en suma e podido aueriguar desta Jornada. v. m. crea lo que fuere seruido que tan a oscuras hablo yo como todos los que aquí lo platican y éste es negocio que si no es por conjecturas no se puede saber, y así no lo escriuo con más certeza que como cosa de adiuinación. /

a las 5. de la tarde fué el Duque de alua al aposento de Su A. y estuuo con él hasta las 7. mui en puridad no sé si después parturiunt Montes. /

[Lunes 24]

Su A. se leuantó a las 10 i fué a oir missa al altar mayor, no le acompañó su M. ni casi ningún cauallero Castellano. boluióse a su Aposento y estuuo despachando algunas cosas hasta que llegó la hora de comer que fué bien tarde y en acabando de Reposar quiero decir dormir un poco (que es mui ordinario para él) frai alonso de talauera prior de esta santa casa y con él los más ancianos de ella hizieron a su A. vn presente digno de quien le hazía y para quien era. contenía las cosas siguientes. /

seis gamas mui gruessas, tres uenados bien grandes, dos jaualíes escogidos, cien perdizes, cien gallinas, duzientos conejos, cien palomas torcazes, 4 docenas de perniles añexos, vna arroba de manteca de bacas, otra de diacitrón de lo muy transparente, dos de confitura cada vna de su manera, cien cuerdas de vuas largas marauillosas / seis canastas de camuesas, otras tantas de mançanas, y lo que el Rey estimó en más fué un çamarro el más curioso i bien echo que en mi uida uí i con él seis dozenas de pares de guantes /, y auíaseme oluidado seis cueros de vino de cibdad real que les costó la arroua a 26 reales, y este descuido no me le eche v. m. como a músico sino téngame por disculpado como a quien beue agua. /

a las 3. baxó Su M. por el huésped a su aposento i lo lleuó a uísperas al coro (a la mano derecha y así se entienda siempre que se hablare de estar juntos los dos Reyes) en medio del se Repararon vn poco y su M. se detuvo y así el rey pasó hasta la scalerica por do sube el uicario y allí esperó para hazer comedimiento a su M. y él le echó el braço por detrás y le lleuó para adelante y al subir la escalera como su M. quedaua en lo baxo uvuiérale de sacar vn ojo con la contera de la espada si su M. prouiniendo lo que pudiera acaecer no le pusiera la mano derecha en ella hasta que subió, y allí uvo otro comedimiento sobre tomar la silla y también su M. le dió con el braço para adelante y así tomó la primera de las dos que estauan aderecçadas con almohadas de brocado y frontero un sitial de tres altos bien Rico. /

auían acompañado a los dos Reyes infinitos caualleros pero en llegando al coro todos se quedaron i seis entraron con ellos el conde de pliego y el de fuensalida con sus baquetas de mayordomos y con ellos entró vn cauallero portugués comendador de Christus mayordomo de su A. i lleuava en señal de serlo una caña de las muy baxas y ordinarias. /

entrados en las sillas Su A. se halló tan enuaraçado con la strecheza de la silla que acordó de quitarse la espada y para hazerlo boluió vn poco las espaldas a Su M. después de quitada como vió que aún se le quedaua en las manos y no tenía a quien darla, salió al sitial y começó a ceçear con tanta priesa que estuue mil uezes mouido a salir de vna silla que no estaua muy lexos y uer lo que quería pero quitóme de este cuidado el fidalgo de la caña que a mucha furia boluió y subió donde su A. estaua y después de auérsela tomado y arrimádola a otra silla junto, le dió vnas oras curiosamente doradas i guarnecidas. / al primer psalmo se sentaron y estuvieron así oyendo las uísperas que se dixeron bien i con mucha solemnidad hasta que a la capítula se leuantaron. / fué cosa marauillosa de uer con el cuidado que S. M. estuuo hablando con él, casi no sentado en la silla sino arrimado al pilar de la mano isquierda por tenerlo buelto el Rostro. /

pero no lo fué menos el desasosiego que su A. tenía porque no se rodeaua fraile que no boluía los ojos y el cuerpo a mirarle i más se notó esto quando al 4. salmo cantó un músico de su Cámara de quien él gusta mucho i lo haze en estremo bien que entonces fué su inquietud de manera que a todos pareció que no era Rey si no vn hombre particular i portugués. /

en dixiendo el prior la capítula. Su A. deuía de estar gastado (como ellos dizen) con la conuersación de su M. y acordó de llamar a un fraile el que más a mano le cayó que fué frai pedro de borox, y buelve tan de propósito las espaldas a su M. como si no estuuiera allí, uerdad es que lo que tenía que preguntarle eran cosas de gran peso e importancia, pues quando menos era que cómo se llamauan los 4 frailes que le auían salido a recebir a Madrigalejo i de dónde eran naturales y quánto auía que tenían el hábito y otras cosas tan impertinentes como éstas, finalmente el descuido pasó tan adelante que dixeron todo el himno y gran parte de la Magnificat con quanta solennidad ellos pudieron que era cada uerso una legua cathalana y su A. no auía mudado postura, quiso dios que a la mitad de la Magnificat. boluí el Rostro, y uíle despartir del fraile pero no va nada que lo a con quien no echa de uer estas cosas i ya que las entienda no las siente. /

no sé si ésta fuese la causa de no estar en completas aunque estaua concertado que las auían de oir i don luis manrique me lo auía dicho así y para ellas teníamos gran música de sus cantores con vihuelas en vn coro y nosotros con un clauicordio en otro, más todo se quedó i no cantamos nada como los reyes se fueron. /

estuuieron los que se llaman grandes sentados todos juntos Castellanos y portugueses en vn vanco del coro y el zorro uiejo del duque de alua solo en vna silla carmesí. / detrás del vanco auía otros con alhombras do se sentaron muchos caualleros y entre ellos doze comendadores de christus con sus ábitos que son de paño blanco y así dios me salue que si las gorras fueran caperuças que me quitaran el desseo de uer los pobres del mandamiento el Jueues sancto. /

subiéronse juntos los Reyes al aposento de su M. y estuuieron en él hasta que fué bien noche que entonçes su A. baxó a su aposento con intento de ir los dos a maitines que por esta ocasión se auían de deçir a las 9. teniéndose en esta casa costumbre de que sean a las doze /.

a las 8. tañeron a ellos y a las 9. se començaron y asistieron a ellos los Reyes de la manera que a las uísperas bien es uerdad que su A. continuó en en [sic] ellos el desasosiego conmençado y casi no tuuo atención a ninguna cosa de las que en ellas se dixeron con auer buenos uillancicos i dos representaciones agradables de unos seisecicos de plasencia. /

de otra suerte estuuo su M. rezando en vnas oras con tanta quietud y sosiego como si fuera hombre pintado y quando se offrecía algún uillancico o representación cerraua sus oras y escuchaua con mucha atención pero su A. començaua luego a hablar con él tan alto que aunque cantauan se oya algo de lo que dezía y de no estar él atento y estoruar que su M. no lo estuuiese an estado los frailes tan corridos que se lo dixeron al duque de Auero para que se lo afease. /

en diziendo el Te Deum se començó la missa del gallo y oyéronlas en las mismas sillas hasta los sanctus que se baxaron a otro sitial y almohadas que les tenían puestas en la primera Rexa del Coro, y aduirtió su M. que se les pusiese porque desde donde estauan no podían uer el Sacramento. /

enbió luego a mandar con el limosnero que no se començasen laudes hasta ser ellos ydos porque no pareciesse que se yvan auiendo oras en el Coro y así se hizo y ellos se fueron a dormir. / este día offreció a nuestra señora Christóual de tauora cauallerizo de su A. el palio con que le Recibieron en badajoz y en su lugar dixe lo que era. /

Martes 25. día de pasqua

Su M. se leuantó y enbió un Recado a su A. para que uiniese a la procesión i uino a ella tan tarde que ya su M. auía baxado de su aposento al Claustro baxo a sperarle y aún no auía venido ni llegó en un muy buen Rato, y su M. le esperó con vna flema como si estuuiera muy a su gusto, y acuérdome que pasando a esta saçón vn cauallero portugués ueedor de su A. de quien ellos hazen gran caudal, i uiendo esperar a su M. preguntó qué hazía allí? y respondiéronle que esperaua al Rey de portugal. y él Replicó muy hinchado eso le cumpre. /

Según lo que Su A. tardó no es mucho que yo aya tardado en traerlo a la procesión, él pues la anduuo con su M. y acabada se entraron en la cortina que les estaua puesta abaxo. traía este día uestido un capotillo y ropilla de telilla de seda negra buena, el capote forrado en Martas gorra de riso y calças de terciopelo negro con telas de brocado i sus botas por no perder el natural de portugués. dicha la misa se entraron por el claustro i subieron al aposento de su M. y allí comieron juntos [en] público mas son los aposentos tan pequeños que casi nadie podía entrar en ellos, y leuantadas las mesas se entraron los dos en otras celdas más adelante donde ay un corredorcico de sol razonable y allí estuuieron hasta las dos que a esa hora se baxó Su A. a Reposar un poco y a las 3. uinieron a uísperas al lugar que an tenido siempre y con las ceremonias que otras uezes se sentaron a oirlas acabadas se fueron y su M. salió con él hasta dexarle en la scalera que baxa al claustro i de allí se subió a su aposento i desde él por vna uentana oyó completas.

a las 5. de la tarde llegó aquí por la posta el duque de pastrana hijo de Rui gomes, por embaxador de la Reina nuestra señora i con vn presente para Su A. posó junto al aposento del Rey en uno que tenía Sebastián de Santoyo. /

a las 6 fué al aposento de su A. el duque de alua y estuuo con él hasta cerca de las ocho. /

Miércoles 26. / 2º día de pasqua

los Reyes asistieron a la misa en su cortina sin auer nouedad que fuese de notar oyeron en ella sermón del mismo que les auía predicado el domingo passado, pero sin comparación mui mejor con auer sido el otro mui bueno. /

acompañóle su M. hasta una scalera que se aparta para su aposento y allí se despidió i subió a comer. /

a las 3. subieron al aposento de su M. el duque de auero y el conde de portalegre y estuuieron con él mucho rato, y en este entretanto entre-

14

tuuieron a su A. unas Muchachas del lugar dançando razonablemente i mandólas dar Cien Reales. /

a las 4. baxó el Duque de pastrana a besar a su A. las manos y a recitar su embaxada acompañáronle todos los caualleros castellanos que aquí se hallaron sino fueron el Duque de alua y el conde de buen día que por no saber la ora a que auía de ir no fueron con él i si no es así yo les oí disculparse con esto. /

Dióle el duque el presente que le traía, i aunque e hecho diligencia por saber particularmente la cantidad de lo que era no me an sabido dar más Razón de que contenía muchos damascos terciopelos i telas de seda de differentes lauores i colores, algunas camisas muy Ricas i curiosas, ciertas docenas de pares de guantes adereçados de ámbar singularmente, coletos o cueras del mismo adereço i de flores, almohadas cofias lienços tan escogidos que no ai más que pedir y otras infinitas cosas de valor i curiosidad. /

mientras esto passaua oía uísperas su M. en su oratorio hincado de Rodillas i dígolo así porque subiendo al órgano hablé con el conde de buen día i preguntándole por él me Respondió lo que e dicho. / no vuo este día otra cosa notable que yo supiese. /

Jueues 27. deste. i 3. día de pasqua

el Rey de portugal enbió a dezir a Su M. que le suplicaua le perdonase el no poder ir a oir missa a la cortina con él porque se auía sentido indispuesto i por esto oiría una missa Rezada, y así Su M. baxó a la Capilla y oyó la missa muy deuotamente.

el de Portugal subió al Coro de los frailes a oirla en vno de dos altares que allí tienen colaterales i los criados portugueses a cuyo cargo estaua el adereço de Capilla, colgaron la cama de un brocadete más vistoso que rico i pusieron un sitial con un doselico pequeño de muy gentil brocado y almohadas de lo mismo. /

Sacaron la plata de Capilla que aunque las pieças eran pequeñas pareciéronme mui bien hechas i mejor doradas i especialmente me afficioné a dos candeleros que traían de la más gallarda echura que e visto jamás i de muy poca costa, mostráronme tanbién çierta hechura de campanilla que ellos estiman en mucho i a mí no me pareció bien ni tiene buen sonido. /

Noté también que tomaron sobrepellizes un tesorero que su A. trae y un capellán suyo de mui differente manera que las que nosotros usamos pero no me parecieron mal porque son muy honrosas i no de mala hechura. /

Cansáronme mucho tres moços de Capilla que sacaron este adereço y siruieron la missa en cuerpo sin sotana con grandes lechuguillas y tras esto una como sobrepelliz sin mangas ni por donde sacar los braços que quando an de hazer alguna cosa alçan la sobrepelliz al hombro como capuz i descubren todo el cuerpo, que para quien está acostumbrado a la pulicía de essa santa yglesia parecerle ya esto de perlas. /

Dixo la missa frai simón de lisboa hijo de don fernando arcobispo que fué de aquella ciudad i tío de su padre del Rey, oyóla con deuoción Rezando siempre en vnas oras, y aunque acabaron antes que la mayor siempre estuuo de Rodillas hasta que en el coro acabaron que entonces baxó i como quien tenía por huésped a su M. lo quiso hazer lisonja de ir por él a la cortina, y es así que el de Portugal uino a la mano derecha hasta entrar en la hospedería que allí como estaua en su casa se quedó dos pasos atrás y hurtando a su M. el lado le lleuó hasta la mesa al derecho y aunque al sentarse se rogaron un poco finalmente Su M. se dexó tratar como huésped i comió a la mano derecha. /

en comiendo se retiraron al aposento del gran Capitán i de aí a un poco se subió su M. arriba dando lugar a que el de portugal Reposase, que como atrás referí es cosa que haze cada día. /

el duque de alua dió en regalar a los caualleros del estado de portugal este día i los lleuó a comer al de Castilla donde fueron regalados extraordinariamente, i no es de marauillar de esto que como mayordomo mayor i duque de alua quando quiere puede mucho. /

quedaron los portugueses tan contentos del regalo con que el duque de alua los trató que nunca acauan de celebrarle i Respectarle y esto haze más que otro ninguno su Rey por tenerle en idea de un gran personaje y en no teniendo ocupación luego enbía por él i gusta infinito de hablarle dos i tres oras, y este día estuuieron juntos desde las 4. hasta las 7.

Viernes 28, postrero día de pasqua

los dos Reyes oyeron misa mayor en la Cortina i fué toda de canto llano sin música ni órgano por ser día de los Innocentes, después de ella salieron juntos y a su ora comieron carne ambos. /

los caualleros portugueses quedaron desseosos de Regalar un día a los castellanos i hízoseles tan bien que auiéndoles la noche antes llegado 20 azémilas de pescados frescos de portugal quisieron que el Combite fuese este día y así comieron juntos i los seruieron con gran abundancia de pescados de todas suertes cuyos nombres no sé aunque estoi cierto que no se an uisto jamás en guadalupe. /

a las 2. baxó su M. al aposento de su A. por una escalera secreta y estuueron hablando solos casi hasta las 4. / este mismo tiempo se entretuuieron los caualleros portugueses i castellanos en oir los músicos que su A. trae de Cámara que cantan singularmente para aquel menester que para yglesia no valen mucho. /

ydo su M. llegó el duque de Pastrana a despedirse de su A. para irse otro día y el rey le hizo mucha cortesía y le abraçó y despachó dándole entre otras cosas escogidas un diamante de extraña grandeza y el valor es tal que por no parecer chronista arrojado no oso dezir el nombre que le ponen pero los que menos an dicho son mil ducados. Sin éste enbía otros dos para las infantas que diffieren algo en los precios como ellas en las edades.

Sin esto dió al duque de Pastrana una daga de marauillosa hechura la uaina toda de oro con piedras de mucho ualor y el puño de perlas gruesas i algunos diamantes i rubíes que la apreciaron en tres mil escudos. lleuósela un moço de cámara de Su A. i dióle el duque vna cadena de oro de trecientos escudos, lo que con ella le enbió a decir fué que se alegraría mucho de que el duque se afficionase tanto de la daga como Su A. lo auía quedado del. /

este día enbió a la condessa de Medellín ciertos pares de guantes adobados y un muy Rico Rubí. /

dió a Su A. desseo de uer esta santa casa i con este intento salió de su aposento acompañado del prior i dos frailes que se la enseñasen (ya bien tarde) y holgóse de uer el Refitorio que fué la primera pieça que le enseñaron y pasaron a uer la botica, al quarto de la enfermería parecióle bien i conociósele en las muestras que hazía con el Rostro porque de palabra jamás lo oyeron que no les habló ninguna. /

Sintióse Su A. cansado como bendito sea Dios es algo abultado i no quiso por este día uer más casa sino uoluerse a la suya donde de aí a un poco cenó como auía comido y a su ora se entró a dormir sin auer en este día otra cosa de importancia.

Más de juntar antes de cenar a consejo para señalar embaxador que fuese a dar el pésame a la Emperatriz su tía, i no se Resoluieron aunque estuuo la differencia entre sólo dos caualleros de los que uinieron con él. /

Sábado 29.

Su M. no fué a misa i subió a oirla Su A. en el altar del coro donde la oyó dos días antes, díxosele con el mismo adereço así de cámara como de capilla, y el mismo frai Simón de Lisboa.

en acabándola de oir llegaron dos o tres negociantes a hablarle y otros de buena gracia, pero siempre estuuieron de Rodillas y él en pie, hecho esto se baxó a su aposento i boluió a juntar consejo para Resoluerse en quién sería embaxador y señalaron a Christóual de tauora su cauallerizo mayor que es un muy honrrado cauallero, mas no sé si lo aceptó. /

Comió Su A. algo más tarde este día que otros por la ocupación del consejo que e dicho, i los caualleros de su estado tornaron otra uez a combidar a los de Castilla por la abundancia de pescados que les sobraron el día passado.

a las dos bajó Su M. al aposento de Su A. y estuuieron solos hasta las 3. y a esta ora salieron juntos para uer lo que al de portugal le faltaua de andar por la casa i fueron de vno en otro officio, mirándolo todo i contándole S. M. las particularidades del como si fuera Religioso desta casa, acompañáronles todos los caualleros de portugal y algunos castellanos. /

Boluió con Su A. nuestro señor hasta la puerta de su posada y allí pasó Su A. quatro o cinco pasos como que quería acompañar a Su M. y él le tiró de la capa para detenerle. /

a las 4 de esta misma tarde se fué el duque de pastrana con doze postas, acompañáronle 4 caualleros de castilla que por esta ocasión no fueron con su M. a uer los officios, llegaron con él hasta salir del lugar. /

domingo 30.

oyeron missa juntos en la cortina i despidiéronse para sus aposentos en la scalera que suelen despedirse y a las dos subió su A. al aposento de Su M. a consulta, entraron en ella con él el duque de auero, conde de portalegre y el conde de Sortella, y con Su M. el duque de alua, prior don Antonio, i marqués de aguilar, estarían juntos bien ora i media. /

al cabo de ella salieron los Reyes Juntos y baxaron a uer el Sagrario y las Reliquias que gustó Su A. de uerlas i no le a parecido de guadalupe bien otra cosa, por estar tan afficionada a las de belén (que es monesterio Real de esta orden en portugal) que en ninguna manera sufre que aya monesterio mejor que él. /

acompañaron a Su A. algunos caualleros Castellanos a la buelta para su aposento y entre otros fué de título el conde de fuensalida que iua cubierto mientras el rey no le hablaua i no sé si de industria, porque no se cubriese en parte tan pública le fué hablando continuamente que apenas le dexó tomar con la Caperuça posesión de la cabeça. /

estuuo después el duque de alua con Su A. a la ora ordinaria como vna i media y es el cauallero de los castellanos que más ha visitado a su A. como ya dixe en otra parte. /

lunes 31. de deciembre.

Su M. no baxó este día a missa por tener muchas ocupaciones, oyóla el Rey de portugal de la suerte que atrás queda referido díxosela frai

110

simón que a hecho el officio de su capellán y por ser portugués a gustado su A. del de manera que quando anduuo uiendo la casa en ninguna celda quiso estar sino en la suya y a tenido el frayle por gran fauor que le deshizo la cama. /

/ acuérdaseme de un donaire que le pasó a un cauallero castellano con otro portugués el día que e dicho que Su A. vió la casa, y fué que como se paseasen los dos juntos por el claustro, y el Rey pasase a uer el refitorio, el castellano echándole de uer antes aduirtió al otro diziendo, aquí uiene, el Rey, el portugués boluió a mirar i dixo. qué Rey? el otro replicó el de portugal, y el portugués dixo, de oje por diante nan le Chameis se non deus de a terra.

Su A. acabó este día de uer el Sagrario porque el pasado le auía uisto muy de paso y en el entretanto se hiço ora de comer i teníanle puesta la mesa en un corredor más adelante de la sala principal de su aposento que estaua entapiçado con 4 paños de oro i seda mui escogidos i bien ricos la historia eran aquellas figuras del apocalipsi también hechas quanto podían ser, eran los tapizes tan grandes que aunque el corredor lo era solos quatro le hinchían dízenme que son ocho i que los vsa Su M. en su capilla la semana santa.

/ auía colgado un dosel de tela de oro i bordado singularmente con muy escogidas lauores. Sin auer en él más que vna sola figura y esa la liberalidad que estaua harto bien hecha, no sé si estos guardajoyas del Rey se lo pusieron maliciosamente uiendo que a ocho días que está aquí i no ha hecho ninguna pero no es de marauillar porque es orden de Su M. que no dé Su A. nada a ningún criado suyo, y así se boluerán con la liberalidad pintada, i dado que a la partida usó de alguna, en Respecto de lo que de él se esperaua no fué nada. /

a las tres subió Su A. a uísperas y a la puerta del coro llegó Su M. y entraron juntos en él a oirlas al subir de la scalera uuo un poquito de cortesía y al entrar de la silla, pero Su M. le ayudaua con el braço a que subiese primero y a que·se sentase. hablaron un poco i Su M. tomó sus oras para rezar, mas con tanto cuydado que jamás faltó de descubrirse al gloria patri, todo lo que Su M. rezó anduuo Su A. mirando a una parte y a otra con más inquietud de la que suelen tener las personas reales, y aun después de auer dicho la Capítula que estaua en pie se salió de su silla i miró las dos más cercanas a ella con tan poca consideración de que estaua Su M. al lado que a todos nos offendió en gran manera. /

acabada la oración subió don luis Manrique a saber si oirían completas i Su M. le dixo que no y así acauadas las vísperas se baxaron cada vno por su scalera i llegaron juntos a la que se aparta al aposento de Su M. y allí se despidieron. /

llegó aquí un Correo de Reyna vieja de portugal pidiendo a Su M. soltase al duque de Maqueda y su M. holgó de condescender a su petición con ciertas condiciones en prouecho de la hija de don bernardino de cárdenas que hasta ahora no son públicas, creo que hasta que ellas lo sean no se libertará al duque. / concertóse también el casamiento del duque de feria con doña ysabel hermana del de Maqueda. /

Martes 1º de mes i día de año nueuo.

después de auer los frailes andado la processión bajó Su M. i fué por el Rey de portugal a su aposento i juntos uinieron a la cortina, oyeron missa i sermón que hizo frai garcía de toledo. Su A. no deuía de auer dormido mucho porque lo que auía de gastar en oirle lo echó en dormir. /

en acabando la missa salieron juntos por el Claustro y se fueron al Refitorio a comer con los frailes, sentáronse en la mesa trauiesa solos, y entraron a uerles comer los criados del vno y del otro Rey aunque a la mesa no siruió sino rodrigo de mendoça que hazía el officio de trinchante, diéronle a cada Rey un fraile que le siruiese que fueron frai Simón de lisboa al de portugal, i frai Melchor de Çafra al de castilla. /

Regaló Su M. al prior con algunos platos que le enbió, i los Caualleros castellanos también a los frailes que tenían por amigos. /

fué cosa muy para uer entrar el duque de alua con tan honrradas canas su bastón de mayordomo mayor al hombro i los dos condes de pliego y fuensalida como mayordomos delante de la comida que a mi juicio ninguna cosa fué tan para notarse. /

i no fué menos que acabada la comida el de portugal se fué a su posada y el de castilla continuó el camino que los frailes lleuauan a dar las gracias y entró con ellos [solo] en el coro y estuuo hincado de Rodillas el mismo tiempo que los religiosos tardaron en darlas, de allí se fué a su aposento a despachar negocios que no se le an ofrecido pocos, especialmente con un correo que vino aquí de Italia. /

a las tres de la tarde subió Su A. al aposento de Su M. y estarían juntos como hasta las cinco sin auer otra persona con ellos. /

dió Su M. a un loco de Requiem que traía Su A. vna cadena de oro que pesó quatrocientos escudos.

y a seis músicos de cámara de Su A. dió cien ducados a cada vno.

Su A. hizo merced a cada alauardero de los que aquí vinieron con Su M. que serían .24. de darles ueinte escudos por hombre. /

a los porteros dió a cien ducados, al despensero mayor docientos y otros tantos al Contador, y también hizo merced a otros officiales de Su M. y aunque no estoi cierto en la cantidad estóilo de que no fué mucho.

a don diego de Córdoua dió vna cadena de más de mil escudos porque le fué a llevar unos Reloxes y un arnés que Su M. le enbiaua.

a los dos condes de pliego y fuensalida les dió otras dos cadenas muy escogidas. /

los Religiosos de esta casa le suplicaron les concediese las demandas en su Reino (que el Cardenal Infante les auía quitado) y él se las concedió por .4. años con cierta declaración que los de su consejo harían en lisboa y así los mandó que acudiesen allá i ellos están tan desengañados de la strecheza de su condición, que la que en lisboa les pusiere será tan áspera que tengan por acertado el apartarse desta demanda. /

Reualidóles una gracia que los Reyes sus predecesores les hicieron de cinquenta arouas de azúcar en la Isla de la madera, i por hazerles merced mandó que se les diese puesto en lisboa y desto dió su prouisión tan de mal talle i ruín y oscura letra que más parecía pedaço de testamento hecho en tiempo de lain Caluo que aluala Real del Deus de a terra. /

an quedado los frailes tan corridos de uer sus esperanças frustradas que apenas alçan los ojos del suelo pero ésles fuerças el hacerlo porque se le an dexado los portugueses tan suçio que no ai parte (aunque no fuese menester) que no la hayan hecho necesaria. /

siéndolo muy en extremo para los enfermos una Cisterna de agua llouediza que está en la enfermería cercada de rejas de hierro i que temiendo lo que sucedió la auían enloçado la boca con dos losas y mucha cal acordaron los pajes de los caualleros portugueses que posauan en aquel aposento de destaparla y orinarse en ella y aún no sé si más y esto de tal suerte que por lo mucho que se a uisto de fuera se juzga lo que sería dentro. /

Juntamente con esto an padecido los frailes terribles infortunios y grandes demasías porque como la casa a sido franca para que todos a qualquier ora pudiesen entrar no los an dexado dormir con el Ruído que traían no sólo para ir donde les importaua sino haziéndole de industria por molestarlos. /

acaeció alguna noche cerrar por de fuera vna hilera de celdas y quando los frailes auían de ir a maitines auer de dar muchas bozes para que los abriesen. / en las sogas que aquí tienen puestas a las escaleras para que se affirmen en ellas, hizieron vna trauesura indigna de scriuirse i de la sanctidad de aquella casa. /

y esto fué en lo que llaman conuento que por ser cosa sagrada lo respetaron más, que en lo que es casa y officios de ella no auía poder andar sino con las faldas en la cabeça que será vn muy buen quebradero de ella para los frailes el ponerlo en la razón que ellos lo suelen tener. /

e puesto estas inmundicias todas juntas por no acabar en tan ruín materia y e dexado la yda de Su A. y el despedirse de Su M. a la postre sólo porque le tenga esta relación bueno ya que los principios i medios no ayan sido tales.

Miércoles .2. de enero. 1577.

leuantáronse los Reyes tan de mañana que a poco más de las 7 estauan en la Cortina oyendo misa, dixósela frai Simón de Lisboa yuan ambos uestidos de camino y acauada salieron por la puerta de la yglesia a la scalera que sube de la plaça donde dixe que quando entraron hizeron adoración a la ✠, y al pie de ella se Repararon algo apartados para que los caualleros se despidieran, llegaron a Su A. el prior don Antonio, a quien habló descubierto y tras él todos los de la cámara y los que an acompañado a Su M. recibiólos de buena gracia con su sombrero puesto / el duque de alua se auía despedido la noche antes y por esto no le acompaña y el Marqués de Aguilar tuuo vna calentura que fué causa de que no le acompañase, no embargante que se fué de ay a 4 oras con Su M.

al Rey nuestro Señor llegó el duque de auero y hablóle Su M. con el sombrero en la mano con grandes muestras de Regocijo, todos los demás caualleros portugueses llegaron a besarle las manos y Su M. les echaua los braços a los hombros.

hecho esto Su A. llegó a tomar su posta y túuole el estribo el Correo mayor de Castilla. S. M. subió en un cauallo pequeño briosico y al tomarle diéronsele a la mano derecha del Rey de portugal i sin esperar a que Su A. pasase delante él se fué por las espaldas del Rey y le cogió a la mano derecha. /

llegaron juntos casi media legua de aquí algo antes de lo que quando uino le salió a recebir y auiendo hablado en el camino con mucha risa, allí se abraçaron a cauallo y Su M. se boluió al monesterio y el Rey de portugal se fué a comer al Rincón donde los frailes le tenían aparejado vn gran vanquete, creo yo que por alargar la speranza por si en aquella granja suya los quisiese dar lo que aquí no les a dado.

buelto al monesterio Su M. mandó llamar al prior y dixo que se le diessen trecientos ducados para la dotación de azeite con que ardiese el fanal de la galera capitana del armada que uenció el Sor don Juan i tiénenle puesto en medio de la yglesia que no parece mal.

Comió Su M. y en el entretanto que sus criados se aprestauan para la partida se bajó para la sacristía y estuuo rezando a nuestra señora hasta la vna que fué ora de partirse, acompañáronle el prior y algunos religiosos ancianos hasta el principio de la scalera de la plaça y allí le pidieron todos la mano y él no se la dió a ninguno pero recebíales con muy alegre semblante. /

llegó adonde le tenían vna haquilla pequeña y salió en ella teniéndole el estriuo don diego de córdoua.

fué a dormir Su M. a halia que es dos leguas de guadalupe con intento de tener los reyes en Sancta Cathalina de Talauera. /

todo el tiempo que el rey de portugal estuuo en guadalupe que fueron 10 días quales se quentan desde sábado 22 de deciembre hasta miércoles 2. de henero Su M. le hizo la costa de la comida y gasto de cauallos y azémilas a él y a todos los que con él uinieron teniendo casa diputada en el lugar donde fuesen a tomar Raciones todos los portugueses y no qualesquiera, sino de muchas aues, cabritos, perdizes, conejos, terneras, uenados, carneros i tanta cantidad de uino que los hartaran aunque fueran flamencos o alemanes, y ellos se aprouechauan también desta largueza que acaecía tomar vno tres y 4 raciones i uender por 4 reales lo que él no comprara con 20.

de ceuada vuo alguno falta al principio, mas la diligencia de los ministros de Su M. hizo que se apareciesen mil hanegas de ella en un momento, y en todo a auido y se a dado con tanta sobra que los portugueses van admirados, y entre otras cosas curiosas lo van de vna que es auer uisto el cuidado que se tuuo de regalar al Rey con aguas cozidas, que como no beue vino se las seruían de canela, de anís, de limones, de hinojo, de açúcar que llaman dulce, y otra que dicen mixta que es de infinitas cosas, y así lo escriuo más por curiosidad que por grandeça. /

finalmente digo que si Su A. no es mui mal contentadizo no se puede quexar de que S. M. no le a tratado lo más amigablemente que él pudiera imaginar, honrrándole i acariciándole con las mayores muestras de gustar de ello que se pueden creer, y eso mismo han hecho todos los caualleros castellanos con los portugueses. Sino ha sido el Marqués de pliego que desde que aquí entró no se a leuantado de vna cama con la gota, y aún se quedaua en Guadalupe.

III

[RELACIÓN ANÓNIMA DE PARÍS]

Recivimiento que el Rey Nuestro Señor
hizo al de Portugal
en Guadalupe, 10 de Deziembre de 76

U Magestad llegó aquí oy juebes a comer y los señores y caballeros que con él venían, escepto el marqués de Pliego que quedó malo en la puente del Arzobispo y el Prior que biene tocado de su gota. Ase ocupado S. M. esta tarde en ver los aposentos del Rey de Portugal y de los demás caballeros que con él vienen, que están muy bien aderezados. El del de Portugal, que está colgado con la tapicería rica de oro y plata de la historia del arca de Noé y en ella un dosel rico de terciopelo leonado, vordado de chapinería de oro y plata de martillo. La saleta más adentro, donde su Alteça a de comer, está colgada de tapicería de oro y plata de latón y un dosel de la misma historia de matices, vordado, con su silla de lo mismo, y un estrado de madera con sus alfombras mui ricas. Más adentro de esta pieça en la antecámara, está colgada la tapicería rica de oro y plata de las Fábulas de Obidio y un dosel de tela de oro y plata, bordado de reliebe de matices. Más adentro de esta pieza está la cámara donde S. A. a de dormir y colgada de oro y plata y la cama es de tela de oro morada y tela de plata vlanca, cubierta de redecilla menuda de oro y plata y las cortinas de tela de oro morada adamascada, y cobertor, dosel y silla de lo mismo y muy ricas alfombras de seda que cubren todo el suelo del aposento. Más adentro ay un retretillo, mirador colgado de una tapizería de oro y plata de poca caída y más adelante de él dos piezas grandes colgadas de la tapizería rica de oro y plata de la istoria de los siete Pecados Mortales, y en la una de ellas un dosel de brocado y terciopelo carmesí debajo de una messa grande con una grada para guardar ropa; y estas piezas con las demás dichas están esteradas con sus encerados en las ventanas.

El aposento de[l] duque de Abero es a la mano derecha como se entra en la sala primera o principal de este quarto; está colgado de tapicería mui rica en oro y plata, quadra, cámara y recámara y las camas de tela de oro y b[r]ocado para los demás caballeros que con su Alteza bien: que son el conde de Portalegre y el conde de Sortela, guarda mayor, don Juan Maçanón del consejo de cámara, Francisco Delea del Consejo, Don Francisco de Portugal del consejo, Luis de Silba del consejo de cámara, Don Luis Deta, Christóbal de Tabora, Don Diego López de Lima, Dn. Barconzentino, mayordomo, Francisco Verreta, Juan de Melo, Francisco de Tabora, repostero mayor, Dn. Luis de Meneses, alférez mayor y un secretario. Están aderezados sus aposentos con muy ricas tapicerías y sus camas muy bordadas de todas maneras en las celdas del quarto nuebo de esta cassa con sus retretes colgados y camas para los criados. Demás de estos caballeros que arriba dije, bien con su Alteza, según dicen sus aposentadores que llegaron, treinta mozos de cámara y diez y ocho cocineros, trescientas cabalgaduras. Entra su Alteza el sábado a 22 de éste, y dos leguas de aquí a echo la villa de Talabera en campaña unas bentas de madera, donde recive el regimiento y tiene aparejada gran colazión, la qual le an de servir en platos de barro de ella, todo con las armas de Portugal.

A 22 de diciembre de 76.

Yo e dejado de hacer esto antes de aora, esperando la venida del rey de Portugal, el qual ha llegado aquí esta tarde, y le salió a recivir S. M. media legua de aquí con todos los caballeros que aquí había, y quando llegó, se apearon entrambos vien quatro passos el vno del otro, y se fueron abrazar con mucho contento y priessa, y luego le tomó S. M. a la mano derecha y se metieron en un coche y le trató de Magestad, y trahe consigo al duque de Abero con otros 23 señores y caballeros y más de 400 hombres de a caballo y dos coches; y así entraron en el lugar y se apearon delante de las gradas, y siempre le tomó S. M. a la mano derecha y salieron los frayles en procesión con todas las reliquias a las cadenas del monasterio y tomó la paz el Rey de Portugal primero, y luego entraron en la yglesia, donde estaba puesto un muy rico sitial y hicieron oración. Luego fué S. M. a su aposento y se bolbió al suyo con mucha priessa y chacota. Venía vestido el rey de Portugal de negro vien cabalmente. S. M. da de comer a todos quantos con S. A. binieron y a sus cabalgaduras. Créese que no estarán aquí más de 9

días. Del aposento del Rey y caballeros, que son 33, salas y cámaras
adereçadas de tapizerías de oro y plata y sedas con camas de seda, oro,
brocados y damascos, bordados con blandones en todas de plata y serbicio de zera blanca porque no le coman el sevo. S. M. el rey de Portugal es de buen talle, más alto que el Rey un poco y más fornido y
gordo y muy blanco y con mucha color en el rostro, poca barba y rubia,
como el Señor Don Juan. Parécele algo con lo blanco y color del rostro.
Y porque de lo que adelante passare abisaré a Vm., no diré más.

De Guadalupe, 25 de Diciembre.

Sus magestades oyeron maitines juntos en el coro en sendas sillas
de frailes y fueron muy bien dichos y duraron hasta las dos de la mañana. El de Portugal estubo con su manto del ábito de Christo desde
que començaron hasta que acabaron. Esta mañana fueron juntos a
missa, continuando siempre en esto lo comenzado de la mano derecha
y en dar primero el libro del evangelio y la paz al de Portugal; el qual
recivió ansimismo el santísimo sacramento en el altar mayor al acabar
de la missa mayor con el mismo manto del ábito de Christo. Acabada
la misa, se subieron Sus Magestades al aposento del Rey Nuestro Señor,
adonde comieron juntos en una pieza dél. La comida dél fué guisada
en la cozina de S. M., adonde vajaron por ella los ayudas de cámara
y 6 pages de S. M. y el conde de Fuensalida y el de Pliego que benían
con sus bastones delante de ella. Salió el duque de Alba así mesmo hasta
bien fuera del aposento a recivirla; desde donde fueron los demás mayordomos delante de ella hasta ponerla en la messa, adonde sirbieron
primero al de Portugal, a quien serbía de trinchante Christóbal de
Tauara, repostero mayor del Rey Nuestro Señor, Dn. Rodrigo de Mendoza y el Conde de Buendía la copa, sirbiéndoles cada 16 platos de
bianda en tres servicios sin los principios y postres, que serían otros
tantos. Acabada la comida les dieron aguamanos y sirbieron las fuentes
primero al de Portugal, el qual tomó la tobaja de la mesa adonde el
trinchante estaba, que así mismo la sirbió, y la tenía puesta S. M. y la
dió el duque de Alba, que así en esto como en el autoridad, aunque a
representado su oficio, a dado mucho contentamiento a todos. Acabado
esto, se alzaron las mesas y se fueron S. M^es a sus aposentos. La orden
de gastos que el guardamanjel del Rey Nuestro Señor toma por los cocineros del de Portugal: toda la vianda que se a de guisar para su mesa
y para el estado de los 18 caballeros que con él vienen y para otros
dos estados que se hacen para guardaropas y mozos de cámara y algunos oficiales particulares, y se guisa en su cocina que tien aparte de
la misma manera que ellos ponen de su cassa el guisallo a su gusto y
serbírselo a las messas. Demás de este gasto de S. M., a las personas

que demás de esto an benido con el de portugal, que están fuera de palacio: 700 raziones de abes, conejos, cabritos, carneros, pan, bino y leña, y a más de 400 cabalgaduras paja, zebada, de la qual ay arta falta, y tanta que la zebada se les da [a] algunos en trigo, que cuesta a 17 reales la anega. El serbicio que hacen al Rey es diferente que el de acá. Se ussa decirlo: «ea y a boca, siendo Dios servido». Esta tarde an estado S. M^{des} juntos en vísperas en el coro; ánse juntado para oyrlas y para oyr missa a la entrada del coro y de la yglesia. Vienen a salir ambos juntos a un tiempo. Al partirse, de ordinario va el duque de Alba con el de Portugal y de Abero con el Rey Nuestro Señor. Aceles S. M. mucha cortesía porque él le quita la gorra muchas vezes, pero trátale de *vos*, y el mismo estilo usa el de Portugal con el duque de Alba y Prior y marqués de Aguilar. A ninguno de los demás no quita la gorra, pero mandó cubrir luego al conde de Fuensalida y conde de Buendía y no a ninguno de los demás caballeros, porque éste es el estilo de su rey de mandar cubrir a todos los titulados. El duque de Pastrana entra esta noche aunque aora son las 7 y no ha llegado; ospédanle en una zelda del monasterio. De su llegada y de las demás avisaré a Vmd. como me manda por su carta que lo haga, lo qual no hera necesario, pues ya tenía el cuidado.

De 26 de Diciembre.

Ya escribí a Vmd. el recivimiento que S. M. hizo al de Portugal y así mismo no se abía entendido cómo se habían tratado; lo qual he sabido después acá; y fué que el de Portugal trató de Magestad primero al Rey Nuestro Señor y S. M. se la llamó a él, y a sido parte para que se la llamen todos como lo hacen haora. Ayer se levantó el Rey Nuestro Señor algo de mañana y recivió el s^{mo} sacramento en una capilla que está en la sacristía y luego fué al aposento del rey de Portugal y le trajo a oyr missa a su mano derecha a la reja del altar mayor, adonde les teníar puestas cortinas de brocado y sus sitiales y dos sillas. Sentóse el de Portugal a la mano derecha y diósele así mismo primero el libro del Evanjelio y la Paz. Abía bancos de grandes, en el qual se sentaron el duque de Abero primero y tras él el Prior y luego el marqués de Aguilar, y al lado de la cortina estubieron en sillas rassas el duque de Alba y el conde de Portoalegre como mayordomos mayores de sus Magestades. Acabada la missa, se fueron sus Magestades a sus aposentos y el de Portugal no consintió que su Magestad llegase con él al suyo, sino que se quedasse al pie de una escalera que ba al de S. M. y estubo con él el duque de Pastrana y hizo su embajada al Rey de portugal esta tarde. fueron con él a las 4 a su aposento, que es una celda, el conde de Sortela, guardamayor, y otros dos caballeros de donde binieron, asimismo acompañándole el marqués de aguilar y el conde de Pliego, Dⁿ Rodrigo y Pedro Manuel, Dⁿ Rodrigo de Mendoza, Dⁿ Juan de Silba, Dⁿ Diego de Córdova, Dⁿ Christóbal de Mora, Dⁿ Francisco de Mendoza, Dⁿ Fernando de Toledo. Esperóle el Rey en una pieza más adentro de la que tenía la cama. Donde, en entrando el Duque con estos caballeros, le quitó la caperuza y llegó al Rey a pedirle las manos, el qual le quitó la gorra y le abrazó y le hizo cubrir luego que comenzó a darle su embajada y aun poco antes que la acabase, tornó el Duque a descubrirse, y el Rey le mandó tornar a cubrir, y al despedirse tornó el Rey a quitar su gorra, y el Duque entró en cuerpo y hizo esto todo con tan buena gracia que dió mucho contentamiento a todos estos caballeros, los quales le tornaron a su aposento hasta donde asimismo fué el conde de Sortela. La Reyna Nuestra Señora demás de imbiar a visitar al de Portugal por el Duque de Pastrana, le imbió por él 12 docenas de guantes y otras 12 docenas de flores y 7 camisas y 7 pañizuelos.

La princesa de Eboli, madre del Duque, le dió para presentar a S. M. 4 piezas de christal, la una era una jarra con dos hombrecillos por assas, muy bien labrada, de un palmo de largo y poco más de ancho, la otra hera un gallo de christal, de palmo y medio de alto, la otra era una copa de un palmo de ancho, la otra pieza era una taza como huevo, partido a lo largo. Llevó otras dos copas de christal para particulares y guantes muchos de ámbar y flores. Llevava de la corte en su compañía a Dⁿ Francisco de Mendoza, hijo 2.º del Marqués de Mondéjar.

IV

[ROMANCES DE JOAQUÍN DE CEPEDA]

[*Escudo*] Famossísimos Romances. El primero trata de la venida a Castilla del muy alto y muy poderoso Señor Don Sebastián primero de este nombre Rey de Portugal, y del rescibimiento que la muy Illustre y muy leal ciudad de Badajoz hizo a su alteza por mandado de su Magestad. Repartido en tres Cantos. El segundo y tercero tratan de la solemnidad con que fué recebido a la puerta de sancta Marina y cómo fué llevado por las calles principales desta ciudad. Y de la libertad que se dió a los presos que no tenían parte contraria, Compuestos por Joachín de Cepeda natural d'Badajoz. Dirgidos [sic] al Illustre Señor el licenciado Diego de Hoyo Corregidor y justicia mayor en la dicha Ciudad y su tierra.

Canto primero

En el más alegre día
dichoso y reguzijado
que en el río Guadiana
a los pacenses se ha dado
quando el sol allá en su esphera
más resplandor ha mostrado
y la Luna en todo llena
está en el cielo estrellado
quando en la fuente Castalia
que la gran Grecia ha criado
Venus diosa de hermosura
con sus ninphas se ha bañado
quando la diosa Minerua
la oliua ha frutificado
señal de paz y concordia
que todo el mundo ha buscado
vn Martes dichoso día
a todo el pueblo christiano
a diez y ocho del mes

que Deziembre se ha llamado
Año de mil quinientos
y sesenta y seis nombrado
día de la siempre virgen
que al sumo Dios ha engendrado
quando el parto virginal
con alegría ha esperado
do espera ser madre y virgen
del mismo que la ha criado
en este dichoso día
la nueua se ha diuulgado
de la venida del Rey
don Sebastián llamado
trae condes y Marqueses
que le han acompañado
y esse gran Duque de Auero
viene con él a su lado
de negro el Rey trae el vestido
aunque era moço y gallardo

16

por la muerte de vn su tío
que del era mucho amado
don Duarte auía por nombre
principe muy acabado
doctado de gran virtud
muy discreto y auisado
veynte y dos años a el Rey
y en los veynte y tres ha entrado
blanco, ruuio: y muy hermoso
de cuerpo, proporcionado
viene para Guadalupe
do, nouenas ha tomado
y el gran Phelipe de España
le auía ya aposentado
do su riqueza y poder
aqueste día ha mostrado
dándole el quarto real
donde él suele auer possado
con los más ricos tapices
que en el mundo se han hallado
todos son de fina seda
de plata: de oro: y brocado
caminaua por la posta
aunque ha comer ha parado
dos leguas de Guadalupe
en vn campo despoblado
donde tiene Talauera
vn seruicio señalado
vn alçázar de madera
altamente fabricado

donde ay muchos aposentos
muchas salas se han hallado
cubierta toda la casa
con mucho lienço encerado
y por de dentro entoldada
qual conuiene a tal estado
y trezientas pesebreras
en el campo se han armado
donde coman los cauallos
y azémilas que han lleuado
también en Madrigalejos
donde el viernes ha llegado
se hizo vn recebimiento
como a Rey tan señalado
y lo mesmo en Medellín
donde el jueues ha cenado
se hizieron grandes fiestas
y el Conde se ha auentajado
y en essa antigua ciudad
que Mérida se ha llamado
do a diez y nueue del mes
vn miércoles auía entrado
le salen a rescebir
con gran fiesta y aparato
con música y menestriles
que de Plasencia han lleuado
más sobre todos aquestos
Badajoz se ha más mostrado

Fin

Canto segundo del rescebimiento que la muy Illustre ciudad d'Badajoz hizo a su Alteza.

Siendo ya cierta la nueua
que el rey de Yelues salía
que es la postrera Ciudad
de toda su señoría
todo puesto ya en concierto
assí como conuenía
donde el alcalde Tejada
al Rey esperado auía
mandando quel aduana
cesse por aqueste día
que todos los Portugueses
tengan libre la venida
y ciento y cincuenta postas
que su Magestad le embía
la ciudad de Badajoz
grande plazer oy tenía
porque su gouernador

lo mandaua y lo quería
barridas todas las calles
con grande tapicer[í]a
la justicia y regidores
salen con gran gallardía
para rescebir al Rey
Don Sebastián se dezía
porque assí su Magestad
Don Phelipe lo quería
delante van cien archeros
moços de gran loçanía
muy ricamente vestidos
cada qual dellos venía
daga, espada, y alabarda
a ninguno fallescía
y el alguacil mayor
delante que los regía

muy dispuesto y gentil hombre
que vn general parescía
y tras la guarda de a pie
viene la cauallería
la justicia y regimiento
luego tras ellos venía
todos puestos a cauallo
a quien el pueblo seguía
lleuan ropas roçagantes
todas son de seda fina
la manga abierta y de punta
que daua grande alegría
de amarillo es el aforro
que carmesí la cubría
todos lleuan botas blancas
y gorras de plumería
calça y jubón de amarillo
cada qual dellos traya
delante van dos maceros
por orden qual conuenía
escriuanos de Cabildo

y el mayordomo venía
procurador general
allí junto parecía
y luego los regidores
la justicia atrás venía
passaron toda la puente
donde el rey ya parescía
cada qual dellos se apea
hazen le gran cortesía
piden le la mano al Rey
más él dar no la quería
tornaron a caualgar
boluieron por otra vía
no entran por la puerta nueva
van hazia sancta Marina
por detrás de la muralla
donde tanta gente auía
que por todas las almenas
otra cosa no se vía

Fin

Canto tercero cómo le recibieron a la puerta de sancta Marina que es vna de las principales de la Ciudad.

Llegado el Rey a la puerta
do el Cabildo está ayuntado
veynte y cuatro regidores
ques número señalado
con la justicia mayor
por orden muy concertado
comiençan los menestriles
las trompetas han sonado
sacabuches, chirimías
que a todos han alegrado
con ynumerable gente
que a ver al Rey se ha juntado
al entrar en la Ciudad
grande alegría ha mostrado
entró el Rey baxo del Palio
que era de fino brocado
cauallero como viene
en un pequeño quartago
el ayuntamiento a pie
y el rey debaxo del palio
comiençan a caminar
por donde está concertado
la calle de Sant Francisco
do ay mucho moço gallardo
y damas a las ventanas
de hermosura dechado

entapiçadas las calles
como ya estaua mandado
del señor Corregidor
que en todo tien gran cuydado
con este concierto y orden
a Sant Juan auían llegado
con cincuenta alabarderos
por el vno y otro lado
a la puerta del perdón
todos se han humillado
a donde estaua el Obispo
con todo el Clero ayuntado
puesto de Pontifical
donde el Rey fuera apeado
tomando el agua bendita
la sancta Cruz a adorado
passada esta cerimonia
los Cantores han sonado
cantáronle vna canción
con que el parabién le han dado
desta dichosa venida
do acreciente Dios su estado
y ponga en paz y concordia
a todo el pueblo Christiano
y llegue la destruyción
del Turco, moro, y Pagano

y sancta fee ençalçada
a gloria del soberano
hasta el altar mayor
con gran música han llegado
do estaua de oro y seda
puesto vn muy rico estrado
y en él el Rey de rodillas
al summo Rey ha adorado
leuantóse luego en pie
y el Obispo ha començado
a dalle las bendiciones
como lo manda su estado
Respondiendo los cantores
muy dulcemente han sonado
allí los moços del Choro
como el canto han acabado
le pidieron las espuelas
y él muy alegre a hablado
que vayan al Thesorero
que se las aurá pagado
Llegó también doña Antonia
que es madre de vn malogrado
don Diego tiene por nombre
de Monrroy intitulado
a pedir al Rey justicia
sobre el que muerte le ha dado
llegó doña Catalina
que fué muger del finado
niña muchacha y hermosa
aunque biuda ha quedado
dando gritos y alaridos
que la yglesia han atronado
pide por merced al Rey
se acuerde de su criado
y que dé al delinquente
que lo auía muerto en el campo
más el Rey no ha consentido
de su Reyno sea sacado
passada esta cerimonia
el Rey sale con su estado
las trompetas chirimías
dulcemente han resonado
veynte y ocho menestriles
de amarillo y colorado
allí la Ciudad tenía
que muy bien se lo ha pagado
tornó el Rey a caualgar
como vino en su quartago
Y luego los regidores
lo meten baxo del Palio
por las calles principales
a la cárcel fue lleuado
allí soltó muchos presos

los que sin parte han quedado
y también los que por deudas
están por no auer pagado
dando a muchos libertad
mil bendiciones le han dado
todo aquesto fué por orden
del Rey Phelipe Christiano
al qual acresciente Dios
con vida, suerte, y estado
y del Imperio del mundo
le haga Rey coronado
pues en tal paz y concordia
sus reynos ha gouernado
víno luego por la plaça
do ay mucha dama mirando
muchos doseles de seda
de fino paño y brocado
por el suelo y las ventanas
de mugeres ocupado
y por la çapatería
por su orden han baxado.
la guardia lo trae en medio
de mucho moço gallardo
de lo qual el Rey se alegra
que a guerra es afficionado
y tocando el atambor
por orden han caminado
junto a la carnecería
con su Alteza auían llegado
calle de la Concepción
juntamente han passeado
luego van calle Real
que se dize de chaparro
llegaron a Santo Andrés
vno del Apostolado
que es vna hermosa plaça
y vn templo en medio labrado
todo con ricos tapices
y mucho moço gallardo
mil damas a las ventanas
que lo estauan esperando
calle de la trinidad
auían luego abaxado
llegaron luego a su puerta
do el Cabildo se ha quedado
y luego el Corregidor
ante el Rey se ha humillado
y pidiera le la mano
para auer se la besado
el Rey con mucho contento
le ha la mano alargado
diziendo que aquel seruicio
él lo tomaua a su cargo

para que su magestad
sea de todo informado
y que él dará noticia
de su gobierno y cuydado
agradesciéndole mucho
lo que en esto ha trabajado
y ansí con dulces palabras
el Cabildo se ha humillado
y el Rey parte por la posta
assí como auía llegado
y el estribero mayor
del Palio se auía entregado
porque la yllustre Ciudad
al Rey se lo ha presentado
más de trezientos ducados
auía poco ha costado
la guada va con el Rey
hasta passar de vn vado
de vn pequeño arroyuelo
que rebillas se ha llamado
el Rey mandó que se quede
y él la posta auía tomado
por el mismo orden que vino
a Talauera ha llegado
que de la jurisdición
de Badajoz ha quedado
allí vn gran recebimiento
la Ciudad ha aparejado
de colchones y fraçadas
y sáuanas que han lleuado
porque allí ha de dormir
según está concertado
con él va el Duque de Auero

con el Rey va hablando
qué os parece d'sto Duque
que aueys d'aquesto notado
muy bien respondiera el Duque
a vuestra Alteza han honrado
la ciudad de Badajoz
mucho aurá en esto gastado
la riqueza de Castilla
bien se nos yua mostrando
en estas cosas y otras
a Talauera han llegado
donde el martes en la noche
auía el Rey reposado
y el miércoles allá en Mérida
será muy bien festejado
el jueues en Medellín
a de ser agasajado
en Madrigalejo el viernes
será el Rey aposentado
luego el sábado a las dos
a Guadalupe ha llegado
a donde el gran Rey Phelipe
tres días le está aguardando
allí verán los dos Reyes
lo que más cumple a su estado
ambos son tío y sobrino
Dios sea dello loado
y de aqueste ayuntamiento
quede su nombre ensalçado
y la sancta fe Christiana
cada día en mayor grado
do dé victoria a los Reyes
que a su Dios se han humillado
Laus Deo

Villancico del mismo auctor.

Rey tan moço y tan loçano
guarde Dios y a nuestro Rey
y acresciente Dios su ley
y el sancto nombre christiano

Dele fruto digno del
tal que del sea Dios seruido
y sea del tan querido
qual Dauid su sieruo fiel
dé Dios vida a tal donzel
tan moço bello y loçano
y acresciente Dios su ley
y el sancto nombre christiano

Y de aqueste ayuntamiento

destos dos tan altos Reyes
en paz prospere sus greyes
y les dé honra y contanto
salga de aquí vn fundamento
que sea gloria al soberano
y acresciente Dios su ley
y el sancto nombre christiano

Leuanta España su nombre
en toda gente y nación
y en sancta congregación
de christo viua todo hombre
Todo infiel, turco se asombre
con este nombre loçano
y acresciente Dios su ley

y el sancto nombre christiano

Sea del mundo quitada
toda mácula y manzilla
y Portugal y Castilla
Francia y Roma prosperada

La sancta fe sea ensalçada
por este rey tan loçano
y acresciente Dios su ley
y el sancto nombre christiano
Laus Deo.

V

COPLAS DEL GRAN PEÑA SOBRE LOS DICHOS DE LOS PORTUGUESES EN GUADALUPE

Un castellano gracioso
que en Guadalupe se halló
este año que pasó,
escribió como curioso
todo lo que sucedió.

No escribió que se juntaron
los Reyes, ni lo que hicieron,
ni cómo se requirieron,
ni las cosas que trataron,
ni el gran gusto que tuvieron.

Ni las inmensas riquezas
que el Rey Filipo tenía,
camas y tapicería,
con otras muchas proezas
y joyas de gran valía.

Ni dádivas que se dieron,
ni cermonias que se hicieron
porque hubo mil Cronistas
que escribieron muchas listas,
aunque pocas combinieron.

Mas de aquellos lusitanos
que con el Rey D. Bastián
trugieron perpetuo afán
escribió, y los trages llanos
que pulido ser les dan.

Estos a la castellana
por sus pecados vinieron,
y raja seda truxieron
de una hechura onesta y llana
que castellanos hicieron.

Visto que hubo relación
que venían hasta setenta
con el Rey, según su cuenta,
en ver que *ochocientos* son
a un fidalgo se presenta.

Pregúntale entre otros cuentos:
—cuánta gente el Rey traía?
y el dijo con osadía:
—*«nao bem mais de otocentos*
que a la ligera venía.»

Y un fidalgo portugués
echándolas de cortés,
y entendiendo decir algo,
preguntó:—*«diga, fidalgo,*
el Duque d'Alva, o que es?»

Y como allí le informaron
que el Duque era del Tusón,
dijo con grande afición:
«muyto gran cosa fundaron
en aquesta Religión.

Mais el hábito de Cristo
nunca en el mundo se ha visto,
e a muy poquitos le dan;
guarde Deus al Rey Bastián
que es el Capitán de Cristo.»

Otro estubo muy gracioso,
que le dixo un castellano
con celo muy limpio y sano:
—*«para un Rey tan poderoso*
poco es todo, todo vano.»

Concibió en su pecho loco
cierta imaginación fiera,
y es que en ser Rey era poco;
dijo:—*«gardai eu que toco*
boto a Deus que é Deus de a terra.»

Y después de haber mostrado
a un fidalgo mill riquezas
de doseles y otras piezas,
camas ricas de brocado
con otras muchas grandezas;

Ya que todo lo abía bisto
salióse de allí muy listo
diciendo: —«muito lo ensalzas,
mais el Rey trahe umas calzas
que balem mais que tudo isto.»

Preguntó un fraile a un cantor
portugués, muy entonado,
después de haber merendado:
—*«tray música este señor,*
como en Castilla es usado?»

Rerpondióle el portugués:
—*«Esteban Santiños es*
músico tan delicado,
que asta as tellas do tellado
baxan anjos por ber qui es.»

Otro después de aber bisto
muchos milagros copiosos
de tullidos y leprosos,
cautibos libres por Cristo,
y otros echos milagrosos,

Dixo:—«cosa e muyto Real
mais ningún milagro hizo ela
que fose tao principal,
como traer a Castela
noso Rey de Portugal.»

Talabera regaló
al Rey en Puertollano
a donde con larga mano
una merienda le dió
con celo muy limpio y sano.

Y dixo allí un caballero
que trajo la confitura,
porque vino a coyuntura:
—*«en Lisboa empleé el dinero*
en aquesta confitura.»

Y respondió un portugués:
—*«de Lisbona nao creo que es;*
nao fazais nobos trofeos.
porque a ser como dice es
ja chegara o olor a os ceos.»

Caballeros truxillanos
a la gineta salieron,
y todos ellos binieron
en caballos jerezanos,
que muy bien les parescieron.

Viendo un portugués cómo eran
diestros de lanzas y arneses,
y cuán bien huyen y esperan,
dijo:—*«logo pareceran*
estos omes portugueses.»

Otro más agradecido
vió una cama principal
para el Rey de Portugal,
y como tanto oro bido
no se atrevió a decir mal,

Mas queriéndola loar
conociendo aquel valor
de la riqueza y primor,
dijo:—*«aquí se pode deitar*
Deus, o el Rey noso señor.»

Y como los más trujieron
botas de rrúa y de camino
pareciendo desatino,
dijo que porque lo hicieron
uno que a la corte bino.

Dijeron que sus trofeos
eran traher lo mejor
y más pulidos arreos,
«e que botas e o mellor
de o mundo... depois de deos».

Son por su Rey tan lisiados,
que a escribir sus niñerías
no faltaran erejías
y si dan en porfiados
no ai salir de sus porfías.

Peña no ha de porfiar
sólo por no resbalar;
escriba más quien quisiere,
si algunos cuentos supiere
que aquí se puedan tratar.

I N D I C E

Se concluyó de imprimir este
libro en los talleres de Tipografía
Moderna, de Valencia, el día
18 de Junio de 1956, bajo el cuidado de María Amparo y Vicente
Soler Gimeno

LAUS ✠ DEO